总序

现代意义的“国学”概念，是在 19 世纪西学东渐的背景下，为了保存和弘扬中国优秀传统文化而提出来的。1935 年，王缁尘在世界书局出版了《国学讲话》一书，第 3 页有这样一段说明：“庚子义和团一役以后，西洋势力益膨胀于中国，士人之研究西学者日益众，翻译西书者亦日益多，而哲学、伦理、政治诸说，皆异于旧有之学术。于是概称此种书籍曰‘新学’，而称固有之学术曰‘旧学’矣。另一方面，不屑以旧学之名称我固有之学术，于是有发行杂志，名之曰《国粹学报》，以与西来之学术相抗。‘国粹’之名随之而起。继则有识之士，以为中国固有之学术，未必尽为精粹也，于是将‘保存国粹’之称，改为‘整理国故’，研究此项学术者称为‘国故学’……”从“旧学”到“国故学”，再到“国学”，名称的改变意味着褒贬的不同，反映出身处内忧外患之中的近代诸多有识之士对中国优秀传统文化失落的忧思和希望民族振兴的宏大志愿。

从学术的角度看，国学的文献载体是经、史、子、集。崇文书局的这一套国学经典普及文库，就是从传统的经、史、子、集中精选出来的。属于经部的，如《诗经》《论语》《孟子》《周易》《大学》《中庸》《左传》；属于史部的，如《战国策》《史记》《三国志》《贞观政要》《资治通鉴》；属于子部的，如《道德经》《庄子》《孙子兵法》《鬼谷子》《世说新语》《颜氏家训》《容斋随笔》《本草纲目》《阅微草堂笔记》；属于集部的，如《楚辞》《唐诗三百首》《豪放词》《婉约词》《宋词三百首》《千家诗》《元曲三百首》《随园诗话》。这套书内容丰富，而分量适中。一个希望对中国优秀传统文化有所了解的人，读了这些书，一般说来，犯常识性错误的可能性就很小了。

崇文书局之所以出版这套国学经典普及文库，不只是为了普及国学常识，更重要的目的是，希望有助于国民素质的提高。在国学教育中，有一种倾向需要警惕，即把中国优秀的传统文化“博物馆化”。“博物馆化”是20世纪中叶美国学者列文森在《儒教中国及其现代命运》中提出的一个术语。列文森认为，中国传统文化在很多方面已经被博物馆化了。虽然中国传统的经典依然有人阅读，但这已不属于他们了。“不属于他们”的意思是说，这些东西没有生命力，在社会上没有起到提升我们生活品格的作用。很多人阅读古代经典，就像参观埃及文物一样。考古发掘出来的珍贵文物，和我们的生命没有多大的关系，和我们的生活没有多大关系，这就叫作博物馆化。“博物馆化”的国学经典是没有现实生命力的。要让国学经典恢复生命力，有效的方法是使之成为生活的一部分。崇文书局之所以强调普及，深意在此，期待读者在阅读这些经典时，努力用经典来指导自己的内外生活，努力做一个有高尚的人格境界的人。

国学经典的普及，既是当下国民教育的需要，也是中华民族健康发展的需要。章太炎曾指出，了解本民族文化的过程就是一个接受爱国主义教育的过程："仆以为民族主义如稼穑然，要以史籍所载人物制度、地理风俗之类为之灌溉，则蔚然以兴矣。不然，徒知主义之可贵，而不知民族之可爱，吾恐其渐就萎黄也。"(《答铁铮》)优秀的传统文化中，那些与维护民族的生存、发展和社会进步密切相关的思想、感情，构成了一个民族的核心价值观。我们经常表彰"中国的脊梁"，一个毋庸置疑的事实是，近代以前，"中国的脊梁"都是在传统的国学经典的熏陶下成长起来的。所以，读崇文书局的这一套国学经典普及读本，虽然不必正襟危坐，也不必总是花大块的时间，更不必像备考那样一字一句锱铢必较，但保持一种敬重的心态是完全必要的。

期待读者诸君喜欢这套书，期待读者诸君与这套书成为形影相随的朋友。

陈文新

（教育部长江学者特聘教授，武汉大学杰出教授）

前言

王维（701–761），字摩诘，蒲州（今山西永济市）人，是唐代最富盛名的诗人之一。王维幼负才名，博学多艺，诗画皆擅。少年时代离家赴京应试，开元九年（721 年），王维进士及第，任太乐丞，后因伶人舞狮被贬济州司仓参军。开元二十三年，张九龄为相，擢右拾遗，次年迁监察御史，奉命出塞，担任凉州河西节度幕判官。天宝十四年（755 年），安史之乱爆发，洛阳、长安相继陷落，玄宗奔蜀，王维扈从不及，为叛军所执，后在胁迫下接受伪职。至德二年（757 年），官军收复两京，王维因从贼被下狱定罪，后因其被俘期间写的《凝碧诗》，再加上其弟王缙力救，王维得到肃宗特宥，责授太子中允，后迁中书舍人、给事中，终尚书右丞，故后世称其为“王右丞”。

尽管王维在仕途上并不得意，但他的诗歌成就却罕有其匹。王维以擅长描写田园生活和自然风光而著称，他与当时的另一位山水田园诗人孟浩然并称“王孟”。王维的诗清新明丽、精警雅致，呈现出一种宁静清幽的境界，如《山居秋暝》：“空山新雨后，天气晚来秋。明月松间照，清泉石上流。竹喧归浣女，莲动下渔舟。随意春芳歇，王孙自可留。”将秋日雨后的山村写的如此恬静优美；又如《鹿柴》：“空山不见人，但闻人语响。返景入深林，复照青苔上。”以动衬静，表现出杳渺深山的幽寂。

王维平生“奉佛，居常蔬食不茹荤血”，而“晚年弥加进道，端坐虚室，念兹无生”。他的诗歌在描绘自然风光和表达隐者的闲情逸致之余，往往还流露出超凡绝尘的禅意。如《终南别业》：“中岁颇好道，晚家南山陲。兴来每独往，胜事空自知。行到水穷处，坐看云起时。偶然值林叟，谈笑无还期。”兴味深远，理趣悠长。

王维是以诗人而兼画家的，尤工山水，其画名不在诗名之下。他把画的本领用在诗里，所以能与自然的美相契合，令人读他的诗如入画境一般。例如“行到水穷处，坐看云起时”“江流天地外，山色有无中”一类的诗句，只有深得画中三昧者才能写得出来。

在山水田园诗之外，王维还有不少其他题材和类型的诗，涵盖边塞、军旅、侠士、闺思、友情等内容，如《使至塞上》描绘了雄浑壮丽的塞外风光，其中“大漠孤烟直，长河落日圆”境界开阔，气势雄浑，为历代传诵的名句。《少年行》：“新丰美酒斗十千，咸阳游侠多少年。相逢意气为君饮，系马高楼垂柳边。”再现了少年游侠斗志昂扬、放荡不羁的风致。王维还有不少与友人裴迪、丘为等人酬唱赠别的诗，情感真挚，委婉动人。总之，王维诗的题材和内容是多方面的，其风格也是多样的。

王维的诗具有独特的风格特色，于李杜之外，自成一家。其诗受到后世很多人的推崇，唐代殷璠云：“维诗词秀调雅，意新理惬。在泉为珠，着壁成绘。一句一字，皆出常境。”宋代苏轼赞赏王维“诗中有画，画中有诗”，明代许顗认为王维诗“自李杜而下，当为第一”。及至清代，仍然有不少人是王维的拥趸，清代管世铭称：“王右丞精深华妙，独出冠时，终唐之世，与少陵分席而坐者，一人而已矣。”王维在中国古代诗坛上的地位和影响，由此可见。

王维的诗其实并不寓什么深奥的哲理，也不含什么强烈的感情，它的好处只在一种清淡而深长的趣味。即使他所作的乐府，虽都是模拟的作品，但也具有这种特色。例如《从军行》中有“日暮沙漠陲，战声烟尘里”两句，便觉意趣幽远，与众不同了。

目录

从军行 …… 1
陇西行 …… 2
早春行 …… 3
和使君五郎西楼望远思归 …… 5
酬黎居士淅川作 …… 6
奉寄韦太守陟 …… 7
春夜竹亭赠钱少府归蓝田 …… 8
戏赠张五弟諲三首 …… 10
至滑州隔河望黎阳忆丁三寓 …… 14
秋夜独坐怀内弟崔兴宗 …… 15
赠裴十迪 …… 17
蓝田山石门精舍 …… 18
青溪 …… 20
崔濮阳兄季重前山兴 …… 21
李处士山居 …… 23
丁寓田家有赠 …… 24
渭川田家 …… 25
春中田园作 …… 27
过李揖宅 …… 28
饭覆釜山僧 …… 29
送綦毋校书弃官还江东 …… 30
奉送六舅归陆浑 …… 32
送别 …… 34
齐州送祖三 …… 35
送綦毋潜落第还乡 …… 36
观别者 …… 37

别弟缙后登青龙寺望蓝田山 39
新晴野望 40
晦日游大理韦卿城南别业四首 41
冬日游览 46
自大散以往深林密竹
蹬道盘曲四五十里至黄牛岭见黄花川 47
早入荥阳界 49
宿郑州 50
渡河到清河作 52
苦热 53
纳凉 54
偶然作六首 55
西施咏 64
李陵咏 65
冬夜书怀 67
献始兴公 68
哭殷遥 70
叹白发 71
夷门歌 73
新秦郡松树歌 74
青雀歌 75
陇头吟 76
桃源行 78
洛阳女儿行 80
黄雀痴 82
赠裴迪 83

目录

榆林郡歌......84
问寇校书双溪......85
寄崇梵僧......86
雪中忆李揖......87
寒食城东即事......88
不遇咏......89
答张五弟......91
酬张少府......92
喜祖三至留宿......93
酬虞部苏员外过蓝田别业不见留之作......94
酬比部杨员外暮宿琴台朝跻书阁率尔见赠之作......95
辋川闲居赠裴秀才迪......97
寄荆州张丞相......98
冬晚对雪忆胡居士家......99
山居秋暝......100
终南别业......102
山居即事......103
韦给事山居......104
归嵩山作......105
归辋川作......106
终南山......107
辋川闲居......108
春园即事......110
淇上即事田园......111
与卢象集朱家......112
晚春严少尹与诸公见过......113

过感化寺昙兴上人山院……114
郑果州相过……116
过香积寺……117
留别丘为……118
送崔九兴宗游蜀……119
送梓州李使君……121
送友人南归……122
送丘为落第归江东……123
汉江临眺……125
凉州郊外游望……126
观猎……127
泛前陂……129
游李山人所居因题屋壁……130
登河北城楼作……131
登裴迪秀才小台作……132
千塔主人……133
使至塞上……134
秋夜独坐……136
待储光羲不至……137
听宫莺……138
愚公谷三首……139
沈十四拾遗新竹生读经处同诸公之作……142
田家……144
济州过赵叟家宴……145
青龙寺昙壁上人兄院集并序……146
晓行巴峡……148

目录

过沈居士山居哭之......150
酌酒与裴迪......151
辋川别业......153
早秋山中作......154
积雨辋川庄作......155
过乘如禅师萧居士嵩丘兰若......157
春日与裴迪过新昌里访吕逸人不遇......158
送杨少府贬郴州......160
听百舌鸟......161
出塞作......162
辋川集并序......164
皇甫岳云溪杂题五首......183
答裴迪辋口遇雨忆终南山之作......187
山中寄诸弟妹......188
闻裴秀才迪吟诗因戏赠......189
赠韦穆十八......189
山中送别......191
临高台送黎拾遗......191
别辋川别业......192
崔九弟欲往南山马上口号与别......193
息夫人......195
班婕妤三首......196
题友人云母障子......198
红牡丹......199
左掖梨花......200
口号又示裴迪......201

杂诗三首……202
崔兴宗写真咏……204
山茱萸……205
哭孟浩然……206
山中……208
相思……208
田园乐七首……210
少年行四首……216
寄河上段十六……220
赠裴旻将军……220
九月九日忆山东兄弟……222
戏题辋川别业……223
戏题盘石……224
与卢员外象过崔处士兴宗林亭……225
送元二使安西……226
齐州送祖三……227
送韦评事……228
灵云池送从弟……229
送沈子福归江东……230
寒食汜上作……231
菩提寺禁裴迪来相看说逆贼等凝碧池上作音乐供奉人等举声便一时泪下私成口号诵示裴迪……232
送殷四葬……233

从军行[①]

吹角动行人，喧喧行人起[②]。
笳悲马嘶乱，争渡金河水[③]。
日暮沙漠陲，战声烟尘里[④]。
尽系名王颈，归来献天子[⑤]。

【注释】

①从军行：乐府名，为军旅辛苦之辞。

②角：军中乐器，其作用略相当今之军号。行人：出征之人。

③笳（jiā）：中国古代一种吹奏乐器，似笛。汉时流行于西域一带少数民族中，故通称“胡笳”。金河：又名金川，汉时属云中郡，今名大黑河，流经内蒙古中部，在托克托县注人黄河。

④陲：边也。

⑤《汉书·贾谊传》：“行臣之计，请必系单于之颈而制其命。”又《宣帝纪》：“匈奴单于遣名王奉献。”注：“名王者，谓有大名以别于诸小王也。”

【赏析】

《从军行》是汉乐府相和歌辞平调曲古题，诗歌内容大多为表现军旅生活的艰辛，本来有着固定的曲调，但后世已经不传。这首五言古诗延用乐府古题，是王维早年的作品。诗歌以吹角的声音起首，把读者由远及近地带入这位军人的兵戎生涯中。接下来诗人并没有直接写两军的对峙，而是巧妙地截取了争渡黄河和日暮下的沙漠两个具有代表性的战争场景，最后以“归来报天子”作结。整首诗只用几个片段便勾勒出了由从军到凯旋归来的完整过程，写得从容、豪迈。诗中“喧喧”“笳悲”“马嘶”“烟尘”等意象又无不让读者感受到战事的紧张和战争场面的壮阔，读来耐人寻味。

陇西行①

十里一走马，五里一扬鞭②。
都护军书至，匈奴围酒泉③。
关山正飞雪，烽戍断无烟④。

【注释】

①陇西行：乐府古题名之一。陇西，郡名，战国时秦昭襄王置，后为天下三十六郡之一。郡治狄道（今甘肃临洮），三国魏移至今甘肃陇西。

②古时于道旁封土为堠（hòu），以记里程。五里置堠，十里置双堠。故有“五里”“十里”之语。又古时城外大道旁，五里设短亭，十里设长亭，为行人休憩及送行饯别之所。庾信《哀江南赋》：“十里五里，长亭短亭。”李白《菩萨蛮》词：“何处是归程，长亭更短亭。”此二句言军情紧急。

③都护：统辖边远之官。汉置西域都护，唐置六大都护府。酒泉：汉郡，故城在今甘肃省酒泉市。《汉书·武帝纪》：“征和三年（前90），匈奴入五原、酒泉，杀西都尉。”

④烽戍：烽火台和守边营垒。古代边疆告警，以烽燧为号，白天举烟为“烽”，夜晚举火为“燧”。戍，一本作“火”。

【赏析】

《陇西行》是汉乐府相和歌瑟调曲古题。陇西即陇山之西，在现在的甘肃省陇西县以东，是唐代控御边夷的重镇。唐人用此题所写的诗歌内容多为征战，或为佳人闺怨。这首《陇西行》为五言古诗，是王维边塞诗的代表作。全诗从都护使者飞马送军书到匈奴围困酒泉，再到关山飞雪、烽火无烟，一气呵成，虽然只有简短的三十字，却让读者在急促的节奏中感受到了战场形势的凶险、紧迫，留白无限，角度独特，急起急落而又充满张力。

早春行

紫梅发初遍，黄鸟歌犹涩①。
谁家折杨女，弄春如不及②。
爱水看妆坐，羞人映花立。
香畏风吹散，衣愁露沾湿。
玉闺青门里，日落香车入③。
游衍益相思，含啼向彩帷④。
忆君长入梦，归晚更生疑。

不及红檐燕，双栖绿草时。

【注释】

①黄鸟：黄莺。涩：指声音不流利。

②弄春：游赏春景。如不及：迫不及待。

③青门：长安城东出南头第一门曰霸城门，门色青，曰青城门，或曰青门。（见《三辅黄图》）

④游衍：游乐。

【赏析】

相比于边塞题材的《从军行》和《陇西行》，《早春行》这首闺怨诗写得婉转多情。这首五言古诗以紫梅、黄鸟起兴，点出初春时节，由此引出游春的女主人公来。从“谁家折杨女”到“日落香车入”，诗人用细腻的笔触描画这位女子白天出游弄春的情景。赏春本应是欣喜的，暖色调的，但诗人却用折杨暗暗埋下思寄远方的伏笔。接下来诗人写道，此次出游看到的美景更加勾起了这位女子对远方丈夫绵长的相思之情，愁苦悲啼、相思入梦，她甚至开始羡慕青草间燕子的双宿双飞。反衬的运用使这首诗的情感表达得更为真切动人。

和使君五郎西楼望远思归[①]

高楼望所思，目极情未毕[②]。
枕上见千里，窗中窥万室。
悠悠长路人，暧暧远郊日[③]。
惆怅极浦外，迢递孤烟出[④]。
能赋属上才，思归同下秩[⑤]。
故乡不可见，云水空如一。

【注释】

①使君：谓州郡长官。此指济州刺史。

②《楚辞·招魂》："目极千里兮伤春心！"

③暧暧（ài）：昏昧不明，迷蒙隐约。

④极浦：遥远的水边。极，远；浦，水涯也。《楚辞·九歌》："临涔阳兮极浦。"迢递：高远貌。

⑤能赋：《汉书·艺文志》："登高能赋，可以为大夫。"上才：谓使君。下秩：下等职位，作者自指。

【赏析】

作者在济州时，和长官登上西楼，远眺家乡，这首诗是与长官的应和之作。首句开门见山，以"所思"指代故乡。第二句"目极"与"情未毕"形成鲜明对比，诗人虽一眼望到尽头，但思乡之情却绵绵不已。"枕上""窗中"二句，是诗人梦境的写照，元稹"故乡千里梦"，陆游"乡远每劳千里梦”，正可作注脚。接着四句，是写诗人极目远眺之景。“悠悠”“暧暧”二叠词，刻画出络绎不绝的行人和昏昧不明的日光，这些景象正是诗人无限愁思和忧郁心境的投射。最后两句云故乡遥不可见，却只见苍茫的云水，呈现出一片迷离恍惚之境。整首诗达到了情景交融的境界。

酬黎居士淅川作①

侬家真个去，公定随侬否②。
着处是莲花，无心变杨柳③。
松龛藏药裹，石唇安茶臼④。
气味当共知，那能不携手⑤。

【注释】

①原注：昙壁上人院走笔成。淅川：古县名。故址在今河南省淅川境内。

②侬：吴人称我曰“侬”。个：等于“价”，犹这般或那般。去：辞官出家。

③着，即“在”。着处：所在之处。莲花：此指净土。无心：佛语，即不起妄心。杨柳：指杨柳观音。《法华经·观世音菩萨普门品》谓观音有三十三身，“杨柳观音”为其中之一。

④药裹：即药包。石唇：即石崖边缘。唇，边缘。茶臼：制茶用的石臼。此二句描述出家者制药制茶生活。

⑤气味：兴味，情调。

【赏析】

王维曾游吴越，故诗中偶用吴语，便显俏皮活泼，此诗也不例外，开头两句便以天真的口吻表达出超脱的意志："我真的要辞官皈依了，您一定会跟随我的吧？"《维摩诘经》云："欲得净土，当净其心，随其心净，则佛土净。"佛教以莲花象征离污生净，"看取莲花净,方知不染心"，精通佛理的作者在字里行间无不透露出对佛家清净无妄境界的向往。庆幸的是，他有一位风尘中的知己，即这位黎居士。因而诗人最后说："松龛里的药裹与石唇中的茶臼，还有谁比我们更了解它们的气味呢？所以，还是让我们携手皈依吧！"

奉寄韦太守陟①

荒城自萧索，万里山河空。
天高秋日迥，嘹唳闻归鸿②。
寒塘映衰草，高馆落疏桐③。
临此岁方晏，顾景咏悲翁④。
故人不可见，寂寞平林东⑤。

【注释】

①按《旧唐书》韦陟本传：陟尝历任襄阳、钟离、河东、吴郡、绛州等郡太守，作者寄此诗时，不知为何郡太守。

②迥：远。嘹唳：雁声。

③疏桐：梧桐树间因为枝丫稀疏而落下斑驳的影子。

④岁方晏：岁末。白居易《观刈麦》云："吏禄三百石，岁晏有余粮。"景：即"影"。悲翁：乐府名。《宋书》汉鼓吹铙歌十八曲，二曰《思悲翁》。

⑤平林：宋蜀本作"平陵"。地名，在襄阳西，这里指韦陟任职之地。

【赏析】

作者写这首诗时，身在边塞。头四句写远景，境界宏大，白描出一片荒凉肃杀的边城景象。五、六两句写近景，对仗工整，"寒""衰""高""疏"四个形容词，写出了作者所处、所见景致的空寂萧条，反映了内心的空旷失落。前六句以萧索的秋景衬托出思念故人的怅惘之情。七八两句，由景而及人：诗人在此岁末之际，自顾其影，咏叹起《思悲翁》曲。此情此景，更衬托出诗人内心之凄凉。前人评价王维诗妙处纯在自然，这首诗正可作为代表。

春夜竹亭赠钱少府归蓝田①

夜静群动息，时闻隔林犬②。
却忆山中时，人家涧西远③。
羡君明发去，采蕨轻轩冕④。

【注释】

①钱少府：中唐诗人钱起，字仲文，吴兴人。曾官蓝田县尉。少府，即县尉。钱起有答诗《酬王维春夜竹亭赠别》，载《全唐诗》卷二三六。蓝田：在今陕西省。

②群动：各种动物。陶渊明《饮酒》其七："日入群动息。"

③山中：王维曾隐于蓝田县辋川山谷，故云。

④明发：黎明。采蕨：指隐居。蕨，多年生草本植物，野生，俗称蕨菜，嫩叶可食。轩冕：官车和官帽。古制，大夫以上乘轩服冕，故以轩冕指官位爵禄，又用为贵显者之代称。

【赏析】

这是一首送别诗，通过对田园生活的赞美，表现了诗人对隐逸生活的向往。前两句是实写：夜晚来临，动物的活动也随之停止，隔着树林，还时时能听到犬吠的声音。此情此景勾起了诗人对往昔隐居生活的美好回忆：当年在辋川山谷隐居时，一户户人家坐落在涧西边的远处。最后两句是虚写：想象钱起明天回到蓝田，在山中自在地采蕨，将官车、官帽弃置一旁。全诗实写与虚写结合，中间穿插诗人的种种回忆，情景交融，表达了诗人对山水田园生活的向往。

戏赠张五弟諲三首[①]

吾弟东山时，心尚一何远[②]。
日高犹自卧，钟动始能饭[③]。
领上发未梳，床头书不卷。
清川与悠悠，空林对偃蹇[④]。
青苔石上净，细草松下软。
窗外鸟声闲，阶前虎心善[⑤]。
徒然万象多，澹尔太虚缅[⑥]。
一知与物平，自顾为人浅[⑦]。
对君忽自得，浮念不烦遣[⑧]。

【注释】

①张諲（yīn）：永嘉人，生卒年不详。《唐才子传》卷二载，张諲曾隐居少室山下，闭门读书，不问世事。后应举官至刑部员外郎。工诗，善草隶，兼画山水。与李颀友善，事王维为兄，皆为诗酒丹青之契。天宝中，谢官归故里以终。諲诗格高古，有集传世。

②东山：又名谢安山，在今浙江上虞境内，东晋名士谢安曾隐居于此。后因以东山泛指隐居之地。心尚：心所崇尚。

③钟：斋钟，即佛寺报斋时之钟声。

④偃蹇（jiǎn）：犹安卧。

⑤虎心善：指连虎也与人相亲，不复食人。

⑥澹尔：恬静无为貌。太虚：幽深玄奥之理。《庄子·知北游》："是以不过乎昆仑，不游乎太虚。"缅：远。

⑦与物平：与物齐一。《庄子·齐物论》："天地与我并生，而万物与我为一。"

⑧浮念：虚妄之念。

【赏析】

诗人所赠对象是一位意志不甚坚定的隐士。组诗的第一首，前四句生动地刻画出一位懒散而悠闲的隐士形象。中间八句描绘张諲融入自然，物我两忘的境界，给人以空灵之感。宗白华在《艺境》中谈到："中国文艺在空灵与充实两方面都曾尽力，达到极高的成就。所以中国诗人尤爱把森然万象映射在太空的背景上，境界丰实空灵，像一座灿烂的星天。王维诗云：'徒然万象多，澹尔太虚缅。'"最后四句是诗人自己的感触，诗人认为张諲通融混一的智慧能齐物我，而自己却闻道不深。但在好友面前，自己的烦恼忧愁就会烟消云散。

张弟五车书，读书仍隐居①。
染翰过草圣，赋诗轻《子虚》②。
闭门二室下，隐居十年余③。
宛是野人野，时从渔父渔。
秋风日萧索，五柳高且疏④。
望此去人世，渡水向吾庐。
岁晏同携手，只应君与予⑤。

【注释】

①五车书：形容读书多，学识渊博。《庄子·天下》：“惠施多方，其书五车。”

②染翰：以笔蘸墨，挥毫作字。草圣：后汉张芝、盛唐张旭皆有草圣之称。子虚：汉司马相如有《子虚赋》。

③二室：中岳嵩山之太室山和少室山。

④五柳：晋陶潜尝作《五柳先生传》以自况，曰：“先生不知何许人，亦不详其姓字，宅边有五柳树，因以为号焉。”

⑤晏：迟，晚。

【赏析】

第二首着重描绘张諲过人的才情和闲适的隐居生活。前四句写张諲学富五车，书法、作赋皆有极高的造诣。中间六句写张諲的隐居生活。“宛是”是虚词，关于虚词的用法，钱钟书说：“周秦之诗骚，汉魏以来之杂体歌行，皆往往使语助以添迤逦之概。”最后四句又回到诗人自身，委婉地表达了诗人的隐退之愿。整首诗的风格是寂寞冲淡的，秋风萧索，五柳高疏，在这种萧疏空寂的环境中领悟自然的美感，所谓“湛然寂然，元无一物”，其中包含着对佛道虚空之理的哲思与体悟，王维诗中的风景描写便是这种特点的集中表现。

设罝守毚兔，垂钓伺游鳞①。

此是安口腹，非关慕隐沦②。
吾生好清静，蔬食去情尘③。
今子方豪荡，思为鼎食人④。
我家南山下，动息自遗身⑤。
入鸟不相乱，见兽皆相亲⑥。
云霞成伴侣，虚白侍衣巾⑦。
何事须夫子，邀予谷口真⑧。

【注释】

①罝（jū）：捕兔之网，亦泛指捕鸟兽之网。毚（chán）兔：狡兔，大兔。南朝宋鲍照《拟古八首》其一："伐木清江湄，设罝守毚兔。"游鳞：游鱼。

②隐沦：隐逸也。

③情尘：情识之尘垢，即世俗欲念。

④鼎食：列鼎而食，形容富贵奢侈之生活。

⑤动息：犹言出处、进退。遗身：忘身，忘己。

⑥《庄子·山木》："入兽不乱群，入鸟不乱行，鸟兽不恶，而况人乎？"此句即用其意。

⑦虚白：日光也。《庄子·人间世》"虚室生白"，注："白者，日光所照也。"

⑧谷口真：即谷口郑子真。《高士传》："郑朴，字子真，谷口人也。修道静默，世服其清高……名震京师，号谷口郑子真。"谷口，古地名，在今陕西礼泉境内。

【赏析】

第三首与前两首主旨有所不同，前两首赞美张諲能隐居乐道，物我两忘，与诗人自己志同道合，而这首却嘲讽张諲贪图口腹之欲，并无高尚的道德情操，与自己异趣，所以题目叫“戏赠”。张諲是“思为鼎食人”的，即向往富贵奢侈的生活，而自己向往的却是出游与云霞相伴，闭户有日光陪从的超脱尘世的生活。所谓“去情尘”，“情尘”为佛教用语，指六情六尘，眼耳鼻舌身意为六情，色身香味触法为六尘，六情与六尘相接，产生思虑欲望，所以要去除。

至滑州隔河望黎阳忆丁三寓①

隔河见桑柘，蔼蔼黎阳川②。
望望行渐远，孤峰没云烟。
故人不可见，河水复悠然。
赖有政声远，时闻行路传。

【注释】

①滑州：唐州名，州治在今河南滑县境内。黎阳：唐县名，县治在今河南浚县境内。丁三寓：不详。

②蔼蔼：树木茂盛貌。晋陶潜《和郭主簿》之一：“蔼蔼堂前林，中夏贮

清阴。”

【赏析】

这是作者赴济州途中所作，表达了对故人的思念之情。滑州在古黄河南岸，黎阳在北岸，两地隔河相对。前六句写景，“孤峰”是实写，据载黎阳东南临河有大伾山，又称黎山。全诗描写质朴浑然，平白如话，没有任何刻意雕琢的痕迹。结尾二句是全篇的点睛之笔，诗人的意思是说，我虽然见不到我所思念的人，但他的政绩早已传播四方，我在路上时时都能听到百姓的赞誉声。这就摆脱了一般寄赠诗感伤的基调。如果我们知道丁三寓也是一位隐逸者的话，那么，此诗或许传达了这样一个在王维诗中不多见的主题：地方官为百姓谋利造福，可能比归隐山林更加重要。

秋夜独坐怀内弟崔兴宗[①]

夜静群动息，蟪蛄声悠悠[②]。
庭槐北风响，日夕方高秋[③]。
思子整羽翮，及时当云浮[④]。
吾生将白首，岁晏思沧州[⑤]。
高足在旦暮，肯为南亩俦[⑥]？

【注释】

①内弟:《仪礼·丧服》“舅之子”,郑注:“内兄弟也。”崔兴宗:唐诗人,王维舅舅之子。

②蟪蛄(gū):蝉的一种,体较小。

③高秋:秋高气爽之时。

④翮(hé):鸟的翅膀。云浮:飞翔于空中。此二句以鸟整翼待飞,比喻兴宗即将出仕。

⑤岁晏:晚年。晏,迟,晚。沧州:谓隐者所居之地。陆云《泰伯碑》:“沧州遁迹,箕山辞位。”

⑥高足:逸足,指快马。《古诗十九首·今日良宴会》:“何不策高足,先据要路津。”肯:岂。俦(chóu):伴侣。

【赏析】

此诗文辞质朴,不尚属对,意气浑厚,让人联想起汉魏五言古诗的风貌。前四句写寂静萧索的秋景,衬托出作者内心的不平静。后六句写诗人内心的活动,内弟将要出仕的情状与自己垂老隐居的意愿互为对照。“南亩”,古代田土多随地势向南开辟,因向阳利于作物生长,后世泛称“南亩”为田亩,此处用来指代归田隐居。作者显然已经是一副参透世事的老者形象,而所怀之人正跃跃欲试,想要在官场中大展一番拳脚。二人异趣殊途,而诗人偏偏想着同归:“肯为南亩俦?”显然,作者是将这位内弟当作知己的,字里行间难免流露出怅然若失的情绪。

赠裴十迪[①]

风景日夕佳，与君赋新诗[②]。
澹然望远空，如意方支颐[③]。
春风动百草，兰蕙生我篱[④]。
暧暧日暖闺，田家来致词[⑤]：
欣欣春还皋，澹澹水生陂[⑥]。
桃李虽未开，荑萼满其枝[⑦]。
请君理还策，敢告将农时[⑧]。

【注释】

①裴十迪：即裴迪，因排行十，故称。唐诗人，河东（今山西）人。官蜀州刺史及尚书省郎。早年与王维过从甚密，故其诗多为与王维唱和应酬之作。

②日夕：近黄昏之时。陶渊明《饮酒二十首》其五："山气日夕佳，飞鸟相与还。"

③澹然：安静，自适貌。如意：器物名。用竹、骨、铜、玉等制作，柄端作心字或灵芝形，可为搔背痒之具。魏晋名士每每手执如意清谈，和尚念经亦时持如意。颐：面颊，腮。

④兰蕙：皆香草名。

⑤暧暧（ài）：温暖貌。闺：内室。

⑥欣欣：草木茂盛貌。皋：水边之地。澹澹：水波动荡貌。陂（bēi）：池塘。

⑦荑（tí）：草木之嫩芽。萼：花苞。

⑧理还策：即准备归来之意。还策，犹言还归。《南史·褚伯玉传》："望其还策之日，暂纡清尘。"

【赏析】

对陶潜诗熟悉的人一眼便能看出，这首诗是对陶诗的模仿。但此诗显然不是对陶诗词语的简单杂拼，而是一篇独立完整的佳作。此诗是将陶潜的随意简朴与盛唐诗人的精致技巧相结合的典范之作。前人评价此诗“流彩中复冲古，景与兴会”。此诗写早春之景，表现春回田野、风和景媚的怡人情味，通首情景交融，物我俱忘，格调高迈，寄兴悠远，是不可多得的佳作。“澹然”二句历来为评论家所称道，体现了禅家“触目而真”、庄周“道无不在”的生命哲思。

蓝田山石门精舍[①]

落日山水好，漾舟信归风[②]。
玩奇不觉远，因以缘源穷[③]。
遥爱云木秀，初疑路不同。
安知清流转，偶与前山通。
舍舟理轻策，果然惬所适[④]。
老僧四五人，逍遥荫松柏[⑤]。
朝梵林未曙，夜禅山更寂[⑥]。
道心及牧童，世事问樵客[⑦]。

暝宿长林下，焚香卧瑶席⑧。
涧芳袭人衣，山月映石壁。
再寻畏迷误，明发更登历⑨。
笑谢桃源人，花红复来觌⑩。

【注释】

①蓝田山：又名玉山，在今陕西蓝田一带。石门精舍：蓝田山佛寺名。

②漾舟：泛舟。信：听任。

③因以：因而。缘：寻。

④舍舟：上岸。策：杖。惬所适：对所到之地感到满意。适，往。

⑤荫松柏：谓有松柏遮盖其上。《楚辞·九歌·山鬼》："山中人兮芳杜若，饮石泉兮荫松柏。"

⑥朝梵：和尚早晨诵经。夜禅：夜晚坐禅。

⑦道心：借道家语指佛家菩提心。菩提乃梵文音译，意谓觉悟佛理。及：影响。此句意谓佛寺与世隔绝，欲知世事，只有向樵夫打听。

⑧暝：夜晚。瑶席：形容席子光润如玉。

⑨明发：黎明。登历：登临游历。

⑩觌（dí）：看，见。

【赏析】

这是一首游记诗，记叙往游蓝田山石门精舍的经过。前八句写泛舟前往，一路所见之景，写出曲径通幽的行舟乐趣。"遥爱"四句，钱钟书认为是陆游名句"山重水复疑无路，柳暗花明又一村"景象的渊源。第九到二十句，写到寺的所见所闻。山林寺僧的生活正是诗人所向往的，描绘起来便觉超尘脱俗，这是一个毫无人间烟火的禅寂的世界，夜晚寄宿在高大林木下的僧房中，在光洁清凉的草席上焚香独卧，山涧边花草的清香染透衣裳，山中皎洁的月光映照在石壁上，此时的人与自然是融合无间的。最后四句，运用《桃花源记》中的典故，表达了自己对此地的眷念之情。诗人当然不期望像那位武陵渔人一样，只能游览一次，而要“花红复来觌”。前人云“山水之境，妙在说得变化”，此诗正是这样一首代表作。

青溪

言入黄花川，每逐青溪水①。
随山将万转，趣途无百里②。
声喧乱石中，色静深松里。
漾漾泛菱荇，澄澄映葭苇③。
我心素已闲，清川澹如此④。
请留盘石上，垂钓将已矣⑤！

【注释】

①言：助词，无义。黄花川：水名。在今陕西凤县，唐时黄花县以此得名。
②趣途：走过的路程。趣，趋。

③漾漾：水摇动貌。荇（xìng）：荇菜，多年生水草，夏天开花，色黄。澄澄：水清澈貌。葭（jiā）苇：芦苇。

④澹：恬静。

⑤盘石：磐石，大石。

【赏析】

此诗是描写青溪景物之作。开头四句是总写。接下来的四句，描写青溪沿途的景色。"色静"二字，钱钟书说："把听觉上的'静'字来描写深净的松色。诗人对事物往往突破了一般经验的感觉，有深细的体会，因此推敲出新奇的词句。""声喧"是动景，"色静"是静景，"漾漾"是形容水的动态，"澄澄"又是形容水的静态，这四句动中有静，静中藏动，生动描绘出青溪幽深清静的环境和动中见闹的意趣。最后四句又回到诗人自身，诗人的内心与这恬静的清溪是如此契合，他不禁发出在此垂钓终老的意愿。

崔濮阳兄季重前山兴①

秋色有佳兴，况君池上闲②。
悠悠西林下，自识门前山③。
千里横黛色，数峰出云间④。
嵯峨对秦国，合沓藏荆关⑤。
残雨斜日照，夕岚飞鸟还⑥。

故人今尚尔，叹息此颓颜⑦。

【注释】

①诗题下原注：“山西去，亦对维门。”濮（pú）阳：即唐濮州，天宝元年（742）改为濮阳郡，治所在今山东鄄城北。一说即今河南濮阳。崔季重：唐清河郡人，曾官濮阳太守。前山：即诗中之“门前山”。兴：兴致，情趣。

②闲：安闲，闲散。

③悠悠：闲适自得貌。

④黛色：青黑色。

⑤嵯峨：山峰高峻貌。秦国：指秦都咸阳一带。合沓（tà）：山峰重叠貌。《文选》王褒《洞箫赋》李善注：“合沓，重沓也。”荆关：柴门。

⑥岚：山间雾气。

⑦此二句意谓，故人（指崔季重）如今仍未见老，只为自己这衰老容颜而叹息。

【赏析】

这首诗是写诗人好友崔季重住宅附近的景致。前四句总起，点明时节、处所。“悠悠”二句，显然是从陶潜“采菊东篱下，悠然见南山”化出。五至十句写景，由远及近，气势雄伟高远。“横”“出”二动词，使静止的山峰有了动态，以群山连绵和数峰高耸组成了横向与纵向的错落搭配，显得生动有致。“嵯峨”两句境象开阔，用“对”和“藏”字写出了山峦的重叠险峻，气象万千。前人评价王维“诗中有画，画中有诗”，“诗中有画”的代表，便可举出此诗中

“残雨”二句。

李处士山居①

君子盈天阶，小人甘自免②。
方随炼金客，林上家绝巘③。
背岭花未开，入云树深浅。
清昼犹自眠，山鸟时一啭。

【注释】

①李处士：不详。李，一作“石”。处士，古称有德才而隐居不仕之人。

②天阶：登天之阶，引申指天子左右官署。自免：自免于朝官之列。

③炼金客：道士。绝巘（yǎn）：陡峭之山峰。《诗·大雅·公刘》：“陟则在巘，复降在原。”

【赏析】

李处士其人不详，然既为处士，就不该以“小人”称之，王维此处将处于庙堂之上的人皆称为“君子”，而将甘于隐逸之人称为“小人”，恐怕不无反讽的味道。“林上家绝巘”，表面上看，是实写隐士所居之处的绝险，我们也不妨这样理解，隐士的这种孤高清幽的生活，恐怕也是一般人所难以企及的绝境吧？王维的诗有一个特点，他惯于在结尾处设置一个听觉形象，借音响使全诗宕出远神，产生了一种余音袅袅、不绝如缕的艺术效果，此诗结尾“山鸟时一啭”，正是这样的特色。

丁寓田家有赠①

君心尚栖隐，久欲傍归路②。
在朝每为言，解印果成趣③。
晨鸡鸣邻里，群动从所务。
农夫行饷田，闺妇起缝素④。
开轩御衣服，散帙理章句⑤。
时吟招隐诗，或制闲居赋⑥。
新晴望郊郭，日映桑榆暮⑦。
阴尽小苑城，微明渭川树⑧。
揆予宅闾井，幽赏何由屡⑨？
道存终不忘，迹异难相遇⑩。
此时惜离别，再来芳菲度。

【注释】

①丁寓：不详。

②栖隐：归隐。傍：近也。谢灵运诗：“从来渐二纪，始得傍归路。”

③解印：解下印绶，辞免官职。《汉书·薛宣传》：“游（谢游）得檄，亦解印绶去。”成趣，陶潜《归去来兮辞》：“园日涉以成趣。”

④饷田：往田间送饭食。

⑤散帙：谓开书帙也。谢灵运诗："散帙问所知。"章句：古书的章节句读。
⑥晋左思有《招隐诗》。晋潘岳作《闲居赋》。
⑦桑榆，《初学记》："日西垂影在树端，谓之桑榆，言其光在桑榆树上。"
⑧小苑城：长安城外曲江之芙蓉园。渭川：渭水，流过长安城北。
⑨揆：度也。屈原《离骚》："皇览揆予于初度兮。"宅闾井：指居于城中。
⑩迹异：指二人一为官，一归隐，形迹相异。

【赏析】

这是诗人写给友人归田的诗作，描绘了他所向往的田园生活。前四句叙述他终于能归隐田园。五至十二句描绘了惬意的田园生活，在诗人看来，农夫种田，闺妇织布，无不透露着融融的闲适乐趣。然而，诗人和他的朋友毕竟有别于普通的农民，他们的乐趣还在于研读诗文、创作诗赋。十三至十六句写丁寓所居之处的景色。最后六句，诗人抒发了自己的情感，哀叹自己身处繁华的闹市中，怎能够经常玩赏到田家如此清雅幽静的景色。所幸的是，生处红尘中的诗人时时念想的是物我合一的至道，自己终究会有归隐田园的一天。整首诗表达了诗人对田园生活的眷念和对友人的依依惜别之情。

渭川田家

斜光照墟落，穷巷牛羊归①。

野老念牧童，倚杖候荆扉[②]。
雉雊麦苗秀，蚕眠桑叶稀[③]。
田夫荷锄至，相见语依依。
即此羡闲逸，怅然吟《式微》[④]。

【注释】

①墟落：村庄。

②野老：村野老人。

③雉雊（gòu）：野鸡鸣叫。蚕眠：蚕蜕皮时，不食不动，犹如睡眠一般。

④《式微》：《诗经》篇名，其中有“式微，式微，胡不归”之句，表归隐之意。

【赏析】

这是一首描绘田园风光的名作，前人评此诗：“右丞妙于田家，此是其得意作。”全诗用语真挚淳朴，不饰藻绘，清淡自然，具有很高的艺术魅力。前八句写暮春的人物风景，第九句用“闲逸”二字一点，把前八句的意向贯穿起来，组合成一幅安详宁静的完整画面。用一个“羡”字，表明诗人所吟咏的对象与其自身尚有一定的距离，诗人此时尚在官场，只能偶尔到田园中排遣忧闷。最后一句，“怅然”二字，表现了诗人此时惘然若失的心境，也隐现了诗人归隐田园的理想与所处现实的矛盾，情致婉转，是全诗的点睛之笔。

春中田园作①

屋上春鸠鸣，村边杏花白②。
持斧伐远扬，荷锄觇泉脉③。
归燕识故巢，旧人看新历④。
临觞忽不御，惆怅远行客⑤。

【注释】

①春中：春季之中，即农历二月。

②鸠：鸟名，斑鸠、雉鸠等鸠鸽科部分种类之统称。

③远扬：向上长的长枝条。《诗・豳风・七月》："蚕月条桑，取彼斧斨（qiāng），以伐远扬，猗彼女桑。"觇（chān）：察看。泉脉：地下泉水。谢朓《赋贫民田》："察壤见泉脉，觇星视农正。"

④看新历：为知节气，以便耕种。

⑤觞：酒器。御：进用，指喝酒。

【赏析】

这是一首描绘春日田园美景、农桑之事开始情况的诗，表达了远行者对乡土的顾念之情，有较浓郁的生活气息。前六句写景物，以平淡的白描手法展现出田家在初春时节准备农桑之事的若干细节。"归燕识故巢，旧人看新历"二句富有哲思，生动地描摹出季节轮转、春物萌动所带给人的对新的一年的美好憧憬。最后两句依然回到诗人自身，看到如此美好宁谧的景象，他不禁想到自己正在他乡远行，归期尚杳，浓郁的思乡之情跃然纸上。

过李揖宅①

闲门秋草色，终日无车马。
客来深巷中，犬吠寒林下。
散发时未簪，道书行尚把②。
与我同心人，乐道安贫者③。
一罢宜城酌，还归洛阳社④。

【注释】

①李揖：唐人，曾官延安太守。

②散发：谓发不整束。簪：发簪。此作动词。道书行尚把：出迎时手中尚握道书。

③乐道安贫：《后汉书·韦彪传》："安贫乐道，恬于进趣。"

④宜城：今县级市，属湖北。《太平寰宇记》："襄州宜城县出美酒，俗号宜城美酒为竹叶杯。"洛阳社：晋董京与陇西计吏俱至洛阳，被发而行，逍遥吟咏，常宿白社中。后称退隐者所居为洛阳社。

【赏析】

这是诗人过访友人时写的一首诗。前四句写李揖所居之处，着重刻画了其居住环境的幽深宁静，表现了住宅主人内心的平静清幽，甘于寂寞，得道的隐者形象浮现于字里行间。后四句直接描写李揖的行径意趣，“未”和“尚”二虚字，将李揖闲适的隐居生活状态和沉浸于专研老庄之道的生活乐趣精炼传神地表达出来。最后两句运用典故，意思是我们一同喝完美酒，仍回到李揖这间隐者的居室中来。前人评价此诗“写景自真，叙情自旷”，“冲雅绝伦”，自是的论。

饭覆釜山僧①

晚知清净理，日与人群疏②。
将候远山僧，先期扫敝庐③。
果从云峰里，顾我蓬蒿居④。
藉草饭松屑，焚香看道书⑤。
燃灯昼欲尽，鸣磬夜方初⑥。
一悟寂为乐，此生闲有余⑦。
思归何必深，身世犹空虚。

【注释】

①覆釜山：山名。或谓山名覆釜者，不止一处。右丞所指，疑在长安，未详所在。

②清净理：佛家清净之理。

③敝庐：自家宅屋之谦称。《礼记·檀弓下》：“君之臣免于罪，则有先人之敝庐在，君无所辱命。”陶潜《移居》诗之一：“敝庐何必广，取足蔽床席。”

④蓬蒿居：长满蓬蒿之居处。

⑤藉草：坐卧柴草之上。松屑：松子，松实。

⑥磬：佛教法器，铜体钵形，作法事念诵时鸣之。

⑦一悟寂：一旦了悟寂灭、涅槃之理。

【赏析】

这是王维招待覆釜山僧人所写的一首诗，生动描述了作者修行禅法、参禅悟道的情状。前六句写诗人晚年的兴趣、候僧、僧至等事，写得明白如话，清净自然。七至十句，写修行、习法，“松屑”指松子、松实，被修行者奉为果腹健体的妙物。结尾四句写悟道。“一悟”二句描绘了悟得静寂的真谛后全身心解脱束缚的那种极乐感觉，展现了禅宗弟子悟道时的“顿悟”境界。“顿悟”是禅宗的重要思想，即成佛不一定要长期修习，而在于刹那间的领悟。一旦顿悟便可成佛。最后两句是留客的话。何必多想回去之事呢？这世界，这身体，都是虚幻的。这又是一层悟境。寻常留客的话竟不失佛法之精要，两者融合得又是那样的天衣无缝，由此也可见王维悟道之深，诗法之妙。

送綦毋校书弃官还江东①

明时久不达，弃置与君同②。

天命无怨色，人生有素风③。

念君拂衣去，四海将安穷④。
秋天万里净，日暮澄江空。
清夜何悠悠，扣舷明月中⑤。
和光鱼鸟际，澹尔蒹葭丛⑥。
无庸客昭世，衰鬓白如蓬⑦。
顽疏暗人事，僻陋远天聪⑧。
微物纵可采，其谁为至公⑨。
余亦从此去，归耕为老农。

【注释】

①綦毋（qí wú）校书：即綦毋潜，盛唐诗人，字孝通，虔州（今江西赣州）人。开元十四年（726）登进士第，尝官校书郎。天宝时迁右拾遗，终著作郎。事见《元和姓纂》卷二、《新唐书·艺文志》等。校书，官名，即秘书省校书郎。还江东：疑指还故乡虔州。古或以"江东"指三国吴之统治地区，唐虔州即在古江东区域内。

②明时：政治清明时代。弃置：不被信用。

③素风：淳朴之风。

④安穷：安于穷困。

⑤扣舷（xián）：手击船舷。多用为歌吟之节拍。

⑥和光：谓与尘俗相合而不自立异。《老子》第五十六章："和其光，同其尘，是谓玄同。"蒹葭（jiān jiā）：芦荻，芦苇。

⑦无庸：无所为。《诗·王风·兔爰》："我生之初，尚无庸。"客昭世：寄居于明世。鲍照《拟青青陵上柏》："浮生旅昭世，空事叹华年。"如蓬：头发散乱如蓬草。

⑧顽疏：愚钝粗疏。暗人事：不明世俗之事。僻陋：偏执鄙陋。远天聪：远

离天子之听闻，不为天子所闻知。

⑨此二句意谓，微贱之物纵然可取，又有谁能秉公采择呢？

【赏析】

这是好友綦毋潜离开长安时，王维写的赠别诗。前四句感慨共同的命运，诗人与綦毋潜同样明时遭弃，“天命”二句，又传达出乐天知命的开朗情绪。五至十二句，是诗人想象好友弃官归隐后闲适的生活状态，描绘了一幅人与自然相融的美景，写得清空玄远，兴味超然。最后八句，进一步表明了作者对为官生活的厌倦，以及归隐田园的急切愿望，表达了对友人所选生活道路的赞赏与殷羡。实际上，整首诗作者的思想感情是矛盾的，既向往美好的田园生活，乐天知命，又感叹朝廷不能识别英才，济世韬略不得施展，因此有人评价此诗“愤懑之情，溢于纸上”。但对自然优美风光的向往与追求物我合一、静寂真谛的主题始终贯穿于王维的生命之中，成为他的诗作的永恒主题，他的整体风格是冲淡恬静的。

奉送六舅归陆浑①

伯舅吏淮泗，卓鲁方喟然②。

悠哉自不竞，退耕东皋田。

条桑腊月下，种杏春风前[③]。

酌醴赋《归去》，共知陶令贤[④]。

【注释】

①陆浑：唐县，在今河南嵩县。

②卓鲁：卓茂、鲁恭，二人皆为东汉良吏，有政绩。

③条桑：出《诗·豳风·七月》篇中“蚕月条桑”句，本义斩条于地，就地采叶也。此借用为腊月事，则谓落其繁枝枯茎而已。

④晋陶潜为彭泽令，郡遣督邮至县，吏白应束带见之，潜叹曰：“我不能为五斗米折腰向乡里小人。”即日解印绶去职，赋《归去来兮辞》。

【赏析】

这是一首送人归隐的诗作。“喟然”是感叹、叹息貌，前两句的意思是说，伯舅为官淮泗所做的政绩，连卓茂、鲁恭这样的良吏看到了，都要赞叹呢！然而，这样一位能干的官员，却是恬澹不竞之人，向往着归耕田园的生活。“种杏春风前”，短短五字，将归隐生活的惬意、对自然风物的留赏与物我同一的悟道境界生动完美地展现在了读者面前。最后两句，用陶渊明归隐的典故来赞扬六舅之“贤”，突出了六舅不慕荣华，甘于平淡的高洁品质。

送别

下马饮君酒，问君何所之①？

君言不得意，归卧南山陲②。

但去莫复问，白云无尽时。

【注释】

①饮（yìn）君酒：劝君饮酒。饮为使动用法。何所之：去哪里。

②归卧：隐居。南山：即终南山。陲：边。

【赏析】

此诗平白如话，却又写得俊逸洒脱，表现了诗人高超的语言驾驭能力。前人评价此诗“语似平淡，却有无限感慨，藏而不露”。结尾一句用意超绝，“白云无尽”，象征山中之乐无尽，而世上之功名富贵、希宠怙势，熙熙攘攘，又何尝能有尽期呢？这其中饱含了对友人的安慰，以及诗人自己对隐居生活的向往，带着一种无可奈何的惆怅情绪，多少流露出对现实的激愤之情。王维笔下的“云”是作为自由自在、闲适悠远生活的象征的，体现了诗人悟道的禅心。

齐州送祖三①

相逢方一笑，相送还成泣。
祖帐已伤离，荒城复愁入②。
天寒远山净，日暮长河急③。
解缆君已遥，望君犹伫立④。

【注释】

①一作《淇上送赵仙舟》，或《河上送赵仙舟》。齐州：唐州名，故治在今山东历城。祖三：唐代著名诗人，亦为王维诗友。

②祖帐：为出行者饯行所设帐幕。荒城：指齐州。

③长河：指济水，齐州在济水南。

④伫立：久立。

【赏析】

这首诗的虚词运用得异常巧妙。首句中的“方”字便传神地写出了相逢时间之短。最后两句，“已”字与“犹”字，将诗人送别时的恋恋不舍和对友人的依依惜别之情展露无遗，呈现在我们脑海中的，是一个孤独落寞的诗人形象，他的友人已乘舟去往远方，消失在地平线的尽头，而诗人却久久不愿离去，仿佛魂魄也随着离人远去。全诗感情真挚，读来颇为动人。五、六两句写寒天暮色之景，对仗工整，透过外在凄凉的风景描写，展现的是诗人心中的愁苦，以及对友人的牵挂与怀念，达到了情景交融的境界。

送綦毋潜落第还乡[①]

圣代无隐者，英灵尽来归[②]。
遂令东山客，不得顾采薇[③]。
既至君门远，孰云吾道非[④]。
江淮度寒食，京洛缝春衣[⑤]。
置酒临长道，同心与我违[⑥]。
行当浮桂棹，未几拂荆扉[⑦]。
远树带行客，孤城当落晖。
吾谋适不用，勿谓知音稀。

【注释】

①綦毋潜：见《送綦毋校书弃官还江东》注①。

②英灵：杰出人才。

③东山客：指隐士。东晋谢安曾隐居东山，后因以东山泛指隐者所居之地。采薇：周武王灭商后，伯夷、叔齐耻食周粟，隐于首阳山，采薇而食，后饿死。事见《史记·伯夷列传》。

④君门：王宫之门。吾道非：《史记·孔子世家》载，孔子被困于陈、蔡之间，谓弟子曰："吾道非耶？吾何为于此？"

⑤寒食：旧以清明前一日或二日为寒食节，届时前后三日不得举火。京洛：洛阳。

⑥同心：此指知己。违：离。

⑦浮桂棹：指归途中乘舟。棹，船桨，亦指船。拂荆扉：掸去陋室之尘垢，以便居住。

【赏析】

这是一首劝慰落第友人的诗，诗中满怀着宽慰友人之情。前四句写綦毋潜前来参加科举考试的原因，诗人全然不写友人的功名利禄之心，而是写圣明的世道不得不让隐者出来做官，这恰是诗人的技巧所在。五、六两句是对落第友人的安慰之语，“吾道非”是孔子当年困厄之时对弟子说的话，此处以反问语气写出，表达了诗人对友人积极入世的价值观的肯定态度。七至十句是写此时送别之景况，点明时令和路途，“置酒”“同心”二词，足见诗人的深情厚谊。十一至十四句是设想对方回乡的快捷，以及对沿途风光的描绘。结尾二句，再次劝慰友人不要怨天尤人，这次失利只不过是偶然罢了，在此地还有很多知音赏识你，其中当然包括诗人自己。全诗以一种乐观开朗的基调表达了临岐劝慰之情。

观别者

青青杨柳陌，陌上别离人。
爱子游燕赵，高堂有老亲[①]。

不行无可养，行去百忧新。

切切委兄弟，依依向四邻。

都门帐饮毕，从此谢宾亲[②]。

挥泪逐前侣，含凄动征轮。

车从望不见，时见起行尘[③]。

余亦辞家久，看之泪满巾。

【注释】

①燕赵：皆战国七雄之一。燕辖境在今河北北部、辽宁西部一带，赵辖境在今河北西南及山西中、北部一带。

②都门：都城城门。帐饮：古时出行，送者在路旁置酒饯别。谢：辞。

③从：随行之人。

【赏析】

这是诗人看到送别的场景所写的一首诗。全诗语言质朴自然，真挚感人，是汉魏古诗绝佳的继承，“黯然销魂者，惟别而已”，这首诗可以说是这句话的一个绝好的注脚。“不行无可养，行去百忧新”，用凝练的语言传神地写出了离家的游子无可奈何的心境，情真事真，当令读者下泪。“车从望不见，时见起行尘”，临岐执别，回首引望，恋恋不忍离去，行人已远，而亲人不可再见，真是令人黯然销魂！结尾二句转而叙述诗人自己，点出诗题“观别者”的“观”字，这离别之景况触发了诗人的共鸣，表达了身处异乡的愁苦之情。

别弟缙后登青龙寺望蓝田山[1]

陌上新别离，苍茫四郊晦。
登高不见君，故山复云外。
远树蔽行人，长天隐秋塞。
心悲宦游子，何处飞征盖[2]？

【注释】

①青龙寺在长安南门之东。（见《长安志》）
②征盖：远行之车。盖，车盖，此代指车。

【赏析】

此诗是作者在长安郊区送别王缙后登青龙寺远眺时所作。诗中称蓝田山为“故山”，望蓝田山即是眺望诗人在蓝田的辋川别业。“远树”二句，前人评价道：“就阔远处极力写去，收合来气局自大。”王维是写景的高手，善于运用白描的笔法写出宏阔辽远的气象，浑然天成，无斧凿痕迹，所谓“意到其间，自然成韵”者，这两句也是如此。“心悲”二句，意谓宦游之人驱车远行，欲向何处？自己心中为他们感到悲伤。整首诗情景交融，对家乡的思恋和宦游的愁苦之情溢于纸上。

新晴野望

新晴原野旷，极目无氛垢①。
郭门临渡头，村树连溪口②。
白水明田外，碧峰出山后。
农月无闲人，倾家事南亩③。

【注释】

①极目：穷尽目力。氛垢：尘埃。
②郭门：外城门，亦泛指城门。
③农月：农忙之月份。

【赏析】

这是一首描写雨后新晴，诗人眺望原野的诗。前六句写自然之景，由远而近，由近及远，意境清幽。中间四句两两对仗，看似质朴平淡的语言，实则浸注着诗人遣词造句的匠心。一“明”字，一“出”字，将静态的山水赋予了动态的表现，纵横错落有致，宛如一幅清新淡雅的写意山水画卷。最后两句写人，却是虚写，农忙的季节见不到悠闲的人，大家都在田地里紧张地劳作。整首诗充满着盎然的生趣，表现诗人对田园优美风光的神往，对农家朴素生活的无尽赞美。

晦日游大理韦卿城南别业四首[1]

与世澹无事，自然江海人[2]。
侧闻尘外游，解骖轫朱轮[3]。
平野照暄景，上天垂春云[4]。
张组竟北阜，泛舟过东邻[5]。
故乡信高会，牢醴及佳辰[6]。
幸同击壤乐，心荷尧为君[7]。

【注释】

①大理韦卿：疑为韦虚心，唐人，曾官大理卿，掌刑法。事见《旧唐书》。

②江海人：浪迹四方，放情江海之人，亦指隐士。

③骖：驾车马也。轫（rú）：车刹。

④暄景：温暖之日光。

⑤张组：张车帷也。

⑥信：诚。高会：盛大宴会。牢：牛、羊、豕三牲全备之称。醴：甜酒。佳辰：一作“家臣”。

⑦击壤：古代一种投掷游戏，相传帝尧时已流行。《高士传》：“帝尧之世，天下太和，百姓无事。壤父年八十余而击壤于道中。睹者曰：‘大哉，帝之德也。’”后因以“击壤”为颂太平盛世之典故。荷：承受恩惠。

【赏析】

这是一组写初春时在友人别业游宴的诗，四首依次押平、上、去、入四声韵。“韦卿”，据学者考证，当为韦抗，其人历职以清俭自守，朝野敬重。这篇描写贵族生活游宴的诗，传达出一片太平盛世的景象。时当盛唐，国力强大，政治清明，百姓安居乐业，故诗人笔下，不论是写隐居、田园之乐，还是写游玩宴赏，时时流露出享受太平盛世的闲适之情。此诗最后两句，诗人庆幸自己得以同享盛世之乐，心中感受着像尧那样的圣君给予的恩惠，便是这种思想的直接表露。

郊居杜陵下，永日同携手①。
人里霭川阳，平原见峰首②。
园庐鸣春鸠，林薄媚新柳。
上卿始登席，故老前为寿③。
临当游南陂，约略执杯酒。
归欤绌微官，惆怅心自咎④。

【注释】

①杜陵：地名，在今西安市东南。

②人里：一作“仁里”。霭：一作“蔼”，树木繁盛貌。川阳：杜陵在樊川以北，故称。

③上卿：周制天子及诸侯皆有卿，其最尊贵者谓“上卿”。此借指韦氏。故老：年高有德之人。

④绌：罢黜。一作“继”。

【赏析】

葛晓音说：“王维在吟咏别业山水的应酬诗中，常常有意识地效法大谢，以追求典雅端庄的风格。如《晦日游大理韦卿城南别业》其二、其四等，布景造句都与谢诗精致清雅的格调神似。”“林薄”意谓草木丛生之地。此诗写别业中的美景和主人举行宴会时的热闹非凡的场景，表现了参加者心情的舒畅愉悦。然而，结尾两句，诗人又话锋一转，写自己游别业的感受，忽觉应自辞微官而归隐，为此心怀惆怅，以自己惆怅懊恼的心理反衬出别业游宴的舒畅闲适。

冬中余雪在，墟上春流驶①。
风日畅怀抱，山川多秀气②。
雕胡先晨炊，庖脍亦后至③。
高情浪海岳，浮生寄天地。
君子外簪缨，埃尘良不啻④。
所乐衡门中，陶然忘其贵⑤。

【注释】

①驶：指水流迅急。
②多秀气：一作“好天气”。
③雕胡：菰米也。庖脍：泛指肉食。
④簪缨：古代官吏冠饰，比喻显贵。不啻（chì）：不异于。
⑤衡门：横木为门，言浅陋也。

【赏析】

前四句写景。“墟上”是村落旁的意思，“畅怀抱”“多秀气”，着重写自然风光带给人精神上的愉悦感受。“高情浪海岳，浮生寄天地”，高尚的情怀放浪于湖山之际，虚浮不定的人生寄托在天地之中，写得何等超脱豪迈！最后四句，诗人指出君子要视仕宦显贵为身外之物。最后，诗人表明自己的乐趣在于寄身于鄙陋的屋室之中，陶然自乐，忘却了何谓尊贵。王维的诗中一再指出，获得心灵的宁静与安详，寻求生命的本真，其重要性远远超出了人们对于仕宦与荣显的追求。

高馆临澄陂，旷然荡心目。
淡荡动云天，玲珑映墟曲[①]。
鹊巢结空林，雉雊响幽谷。
应接无闲暇，徘徊以踯躅。
纡组上春堤，侧弁倚乔木[②]。
弦望忽已晦，后期洲应绿[③]。

【注释】

①玲珑：形容水清澈透明。墟曲：村野。

②纡（yū）组：系佩官印，身居官位。侧弁（biàn）：歪戴皮帽。《诗·小雅·宾之初筵》："侧弁之俄，屡舞傞傞。"郑玄笺："侧，倾也。"汉荀悦《申鉴·杂言上》："侧弁垢颜，不鉴于明镜也。"

③弦：月半；望：月满；晦：月尽也。

【赏析】

前六句写别业的景致。"淡荡"是水波摇动的样子，是动景；"玲珑"是形容水清澈透明，是静景。二句动静结合，生动地描绘出别业里幽深寂静的自然环境和生机盎然的意趣。"纡组"本义是指垂着的丝带，丝带古用以系官印，此处用来借代同游的官吏。结尾二句意为：时光易逝，经历月缺、月圆，忽已到了月晦之时，以后再在此地相会，洲上应该会长满绿草吧。这结尾写得含蓄蕴藉，游宴已经结束，诗人却依依不舍，感慨欢乐的时光是如此的短暂，下一次再来的时候，恐怕此间的景色又是另外一番了，字里行间透露出诗人的惋惜与留恋，隐约蕴含着对下一次游宴的期盼与憧憬。

冬日游览

步出城东门，试骋千里目①。
青山横苍林，赤日团平陆②。
渭北走邯郸，关东出函谷③。
秦地万方会，来朝九州牧④。
鸡鸣咸阳中，冠盖相追逐⑤。
丞相过列侯，群公饯光禄⑥。
相如方老病，独归茂陵宿⑦。

【注释】

①骋千里目：纵目远望。骋（chěng），放开，展开。

②团：圆。平陆：平坦之陆地。

③邯郸：秦郡，今属河北。此句谓渭水之北可趋赴邯郸。关东：函谷关以东地区。函谷旧关在今河南灵宝东北。此句谓至关东需出函谷。

④秦地：指长安一带。九州牧：泛指诸州长官。

⑤咸阳：秦都。此借指唐都长安。冠盖：官员服饰与车乘，借指官员。

⑥过：拜访。光禄：即光禄卿，掌酒醴、膳馐之事。

⑦《史记·司马相如列传》："相如既病免，家如茂陵。"按：茂陵，汉县，故城在今陕西兴平市东北。

【赏析】

这首诗的起句"步出城东门"沿用古诗的开头，便有了一种浑厚古朴的气象。"青山"一联历来为评论家所称赏，这样的景物描写，略去事物运动变化的过程，将一刹那在空间中的真实结构、色彩和形状记录下来，形成一种相对静止的画面。诗中多用地名，境界宏大开阔，呈现出将关中风物一览无余的气势。在描述了盛唐长安富贵繁华的景象后，诗人笔锋一转，末尾二句写到一个潦倒落寞的老病文人的形象，司马相如当是诗人自己的写照，写出了掩藏在这些繁华之后的落寞与感伤。

自大散以往深林密竹
蹬道盘曲四五十里至黄牛岭见黄花川①

危径几万转，数里将三休②。

回环见徒侣，隐映隔林丘③。

飒飒松上雨，潺潺石中流。

静言深溪里，长啸高山头。

望见南山阳，白日霭悠悠④。

青皋丽已净，绿树郁如浮⑤。

曾是厌蒙密，旷然消人忧⑥。

【注释】

①大散：古关名，又称散关。在今陕西宝鸡西南大散岭上，为秦蜀往来之要道。蹬（dēng）道：有踏级之道路。黄牛岭：大散关附近山岭名。黄花川：水名，在今陕西凤县东北。按：大散关、黄牛岭、黄花川，皆自秦入蜀所经之地。

②三休：多次休息。汉贾谊《新书·退让》："翟王使使至楚，楚王欲夸之，故飨客于章华之台上。上者三休而乃至其上。"后因以"三休"为登高之典。

③徒侣：谓从行之人。

④南山：即终南山。霭：云气。悠悠：安闲貌。

⑤皋：水边之地。郁：林木聚积貌。

⑥蒙密：草木茂密貌。庾信《小园赋》："拨蒙密兮见窗，行欹斜兮得路。"

【赏析】

这是诗人写道中所见景物的一首诗歌。开头四句叙述诗人的行动，经过艰险的跋涉，终于快到山顶，回过头再看看同行的人走到哪了，隔着山林若隐若现，还离得远，到达目的地的喜悦之情油然而生。五至十二句写景，前人评价"直直写去，景象宛然"。这几句景物描写，并不是单纯写大自然，这里始终有人参与到里面，"静言深溪里，长啸高山头"，人与自然融为一体，呈现出一派宁静和谐的画面。接下来两句"净"字与"浮"字相对，一静一动，既写出了山林里的明丽清净，又写出了大自然的勃勃生机。结尾二句，诗人坦承自己原本并不喜爱太过于茂密的草木的，但此时此地，他感受到这样的景象同样是令人心旷神怡的，消除了忧虑与烦恼。

早入荥阳界①

泛舟入荥泽，兹邑乃雄藩②。
河曲闾阎隘，川中烟火繁③。
因人见风俗，入境闻方言。
秋野田畴盛，朝光市井喧④。
渔商波上客，鸡犬岸旁村。
前路白云外，孤帆安可论⑤！

【注释】

①荥（xíng）阳：唐县名，今属河南。

②荥泽：古泽名，故址在今河南荥阳东北。赵殿成注："荥泽在唐时已成平陆，岂能泛舟？盖谓泛舟大河（黄河），以入荥阳之界耳。荥阳、荥泽，地本相连，取古文之名，以为今地之称，诗家盖多有之。"兹邑：指荥阳。雄藩：重要城镇。

③河：黄河。曲：曲折。闾阎：里巷门户，泛指乡村街巷。隘：狭窄。

④田畴：田地。

⑤此二句意谓前路渺远，孤身独往，此中情味，安可谈说！

【赏析】

这是一首五言排律，除首联、尾联外，中间数联讲究对仗。首联总起，点明征途经过的地点荥阳，即本诗描写的对象。荥阳在今天河南郑州西面，唐代时很繁华。中间四联写所见所闻之景，章法秀整，表现了北方雄藩大郡水土风俗之美。所写之景有强烈的画面感，读后宛如径直呈现在读者眼前，让人有身临其境之感。末联又转向诗人自身，兴孤帆何往、前途渺茫之叹，略带感伤情调，但“前路白云外”一句，亦有人将它理解为隐含着对迷茫前路中另一番新天地的期待。

宿郑州①

朝与周人辞，暮投郑人宿②。
他乡绝俦侣，孤客亲童仆③。
宛洛望不见，秋霖晦平陆④。
田父草际归，村童雨中牧。
主人东皋上，时稼绕茅屋⑤。
虫思机杼鸣，雀喧禾黍熟⑥。
明当渡京水，昨晚犹金谷⑦。
此去欲何言，穷边徇微禄⑧。

【注释】

①郑州：唐州名，辖境在今河南荥阳、郑州、中牟、新郑及原阳一带，治所在今郑州市。

②周人：洛阳一带人。洛阳自平王以后为周朝都城。郑人：郑州一带人。郑州春秋时为郑国之地。

③俦（chóu）侣：伴侣。

④宛洛：宛即汉南阳郡治所宛县（今南阳市）；洛即洛阳。宛、洛均为东汉时最繁华都市，古诗文中每并称。此实指洛。秋霖：连绵之秋雨。晦：暗。

⑤东皋：泛指田野。潘岳《秋兴赋》："耕东皋之沃壤兮，输黍稷之余税。"

⑥虫：指蟋蟀。秋初而生，遇寒而鸣，促妇人织布备冬衣也，故曰"促织"。机杼（zhù）：织布机。

⑦京水：水名。源出荥阳，东北流入济水。金谷：本涧名，在今河南洛阳西，晋石崇构园于此，世谓之金谷园。

⑧此句意谓因曲从卑微之禄位而去往穷僻边远之地。徇：从，曲从。

【赏析】

葛晓音说："行役和田园题材的结合，是王维田园诗的一大创造。"此诗就是这样一个典型的例子。前四句总起，交代路途情况。"他乡"二句，意谓在他乡孤孤单单的没有同伴，与诗人相亲近的只有身边的僮仆了。这两句真挚生动地传达出旅途的寂寞之情，沉痛感人。五至十二句写所见之田园景象，诗人虽处行役之苦，心情是悲苦寂寞的，但所见到的田园美景或许能够稍稍安慰到情绪低落的诗人吧？最后四句又回到诗人自身，明天就要度过京水，前往更萧条荒凉之所，而昨晚还身处繁华的洛阳城中，强烈的对比愈发显示出诗人心境的落寞。为了微薄的俸禄就要离别亲友，去到穷僻的他乡，诗人此时显然认为是不值得的，对家乡的眷恋和宦游的苦痛之情，跃然于纸上。

渡河到清河作[1]

泛舟大河里，积水穷天涯[2]。
天波忽开拆，郡邑千万家[3]。
行复见城市，宛然有桑麻[4]。
回瞻旧乡国，淼漫连云霞[5]。

【注释】

①河：黄河。清河：唐贝州治所清河县，在今河北清河西。
②积水：谓黄河水聚积众水，浩渺无际。
③此二句意谓河上水天开豁处，忽现人烟稠密之郡城。拆：裂，开。
④城市：指清河。宛然：隐约貌。
⑤淼（miǎo）漫：水盛貌。

【赏析】

这是作者渡黄河到清河县城的途中所写，在舟中观望两岸的景象，自然与在陆地上不同。开头两句总起，交代泛舟黄河。后六句写河上所见之景。“忽”字传神地写出了景物的动态与诗人感觉的过程，随着船的前进，诗人的视线豁然开朗，当他见到一座新的生机盎然的城市时，喜悦之情溢于言表。整首诗从宏观处着笔，勾勒出所见之阔大景象。舟行至此，再回头望去，原来经过之地早已望不见了，只见一片浩渺的水面与云霞相连。诗人的描绘富有动态感，落笔自然有奇致，确是一篇佳作。

苦热

赤日满天地，火云成山岳[①]。
草木尽焦卷，川泽皆竭涸。
轻纨觉衣重，密树苦阴薄。
莞簟不可近，絺绤再三濯[②]。
思出宇宙外，旷然在寥廓。
长风万里来，江海荡烦浊[③]。
却顾身为患，始知心未觉[④]。
忽入甘露门，宛然清凉乐[⑤]。

【注释】

①火云：夏日炙热之红云。

②莞簟：以莞草茎编成之簟也。絺（chī）：细葛布。绤（xì）：粗葛布。

③烦浊：烦躁、纷乱之情绪。

④却顾：回顾。觉：觉悟，得道。

⑤甘露门：通向涅槃之门户。《法华经》：“普智天人尊，哀愍群萌类。能开甘露门，广度于一切。”

【赏析】

开头四句描摹盛夏炽热的景象，极尽夸张之能事，读来如令人身处其境。用“满”“成”“尽”“皆”四字，生动表现了热气充盈于天地之间的状况。天地、山川、草木，仿佛没有一样能逃脱热浪的侵袭。五至八句写热浪下人的感受，轻纨、密树、莞簟，以前用以消暑的方法，现在统统都失去作用。九至十二句是诗人的想象，他渴望身处旷然寥廓之境，让万里长风荡尽暑气，想象奇特，境界宏大。最后四句是全诗的主旨，诗人参悟到自己之所以受到暑热的折磨，是因为没有觉悟到佛理，而一旦悟道，入于禅定，就不会以热为苦，反而会有清凉之乐了。

纳凉

乔木万余株，清流贯其中。
前临大川口，豁达来长风①。
涟漪涵白沙，素鲔如游空②。
偃卧盘石上，翻涛沃微躬③。
漱流复濯足，前对钓鱼翁④。
贪饵凡几许，徒思莲叶东⑤。

【注释】

①豁达：开阔通达貌。

②涟漪：水面细小波纹。鲔（wěi）：鱼名，口在颔下，长鼻软骨。

③偃卧：仰卧。沃：浇，淋湿。微躬：自身之谦称。

④漱流：以流水漱口，形容隐居生活。《世说新语·排调》：“孙子荆年少时欲隐，语王武子‘当枕石漱流’，误曰‘漱石枕流’。王曰：‘流可枕，石可漱乎？’孙曰：‘所以枕流，欲洗其耳；所以漱石，欲砺其齿。’”濯足：本谓洗去

脚污。后比喻清除世尘，保持高洁。《楚辞·渔父》：“沧浪之水清兮，可以濯我缨；沧浪之水浊兮，可以濯我足。”

⑤莲叶东，古乐府《江南》：“江南可采莲，莲叶何田田。鱼戏莲叶间。鱼戏莲叶东，鱼戏莲叶西，鱼戏莲叶南，鱼戏莲叶北。”

【赏析】

全诗紧紧扣住一“凉”字着笔，字里行间让读者真切地感受到清凉的意境。前六句写清凉之景，有成林的大树，又处在大河风口，开阔通达，凉风当然会源源不断地吹来。“涟漪”二句描写清幽之境，读后清凉的感受自然而生。七至十句写诗人自身的活动，他仰卧在磐石之上，让溪水浸湿了自己的身体，用流水漱口和洗脚，看到了渔翁。“漱流”句既是实写，又运用典故，传达了隐逸的情怀。最后两句是虚写，宕开一层，贪念鱼饵的鱼能有几条呢，它们只会想着嬉戏于莲叶之间啊！以鱼饵隐喻功名富贵，表现了作者向往自由生活的隐逸情怀。

偶然作六首

楚国有狂夫，茫然无心想①。
散发不冠带，行歌南陌上。
孔丘与之言，仁义莫能奖②。
未尝肯问天，何事须击壤③。

复笑采薇人，胡为乃长往④。

【注释】

①狂夫：指陆通。通字接舆，楚人也。好养性，躬耕以为食。楚昭王时，通见楚政无常，乃佯狂不仕，故时人谓之楚狂。孔子适楚，楚狂接舆游其门曰："凤兮凤兮！何如德之衰也！"孔子下车欲与之言，趋而避之，不得与之言。（见《高士传》）

②奖：勉励。

③屈原放逐，彷徨山泽。见楚有先王之庙及公卿祠堂，图画天地山川神灵。琦玮僪佹，及古圣贤怪物行事，因书其壁，呵而问之，作《天问》。（见《楚辞·天问》篇序）击壤：参见《晦日游大理韦卿城南别业四首》其一注⑦。

④采薇人：参见《送綦毋潜落第还乡》注③。

【赏析】

这六首诗非一时一地之作。第一首是写楚狂接舆佯狂避世的诗。"茫然"句，意思是无知无识的状态，心里没有什么想的。"散发"句，古代成年男子，都将长发束于头顶，插簪着冠。披发不戴冠，是不守礼法、放浪不羁的表现。"仁义"句，意思是孔子也不能劝勉其行仁义之道。"未尝"二句，意谓不问世事，未能像屈原那样作《天问》抒发忧愤，也无须像尧时老人那样击壤而歌，颂扬太平盛世。结尾二句谓接舆讥笑伯夷、叔齐饿死首阳乃无谓之事。通篇刻画了一位摒弃仁义道德、礼教伦理的狂人形象，让人联想到《庄子》中悟道的"至人"，隐晦地表达了作者鄙弃尘世的归隐愿望。

田舍有老翁，垂白衡门里①。
有时农事闲，斗酒呼邻里。
喧聒茅檐下，或坐或复起②。
短褐不为薄，园葵固足美③。
动则长子孙，不曾向城市④。
五帝与三王，古来称君子⑤。
干戈将揖让，毕竟何者是⑥？
得意苟为乐，野田安足鄙？
且当放怀去，行行没余齿⑦。

【注释】

①垂白：白发下垂。衡门：横木为门，指简陋之住处。《诗·陈风·衡门》："衡门之下，可以栖迟。"

②喧聒（guō）：喧扰，声音嘈杂。

③短褐：粗布衣服。不为薄：不以为鄙陋。"园葵"句意本陶渊明《止酒》："好味止园葵，大欢止稚子。"葵：菜蔬名。

④动：每每，往往。长：养育。

⑤五帝：说法不一，《史记·五帝本纪》以黄帝、颛顼、帝喾、唐尧、虞舜为五帝。三王：说法不一，多以夏商周三代开国之君为三王，即夏禹、商汤、周文王或周武王。

⑥将：与。揖让：以位让贤。

⑦行行（háng háng）：刚强貌。没余齿：度完余年。

【赏析】

这是一首描写田舍老翁自由自在生活的诗。前十句写老翁休闲恬静的田园生活，着重刻画了他安贫乐道的形象。他的物质生活是清贫的，住的屋子是茅檐，穿的衣服是短褐，吃的食物是园葵，他也没有去过繁华热闹的城市。然而，他的内心是安宁畅快的，与邻居一起畅饮，时而坐起，时而躺卧，优哉游哉，好不快活！十一至十八句抒发诗人自己的感慨，以野田来否定古来称贤的五帝三王和治乱变易的是非，这种思想与《庄子》相通，表现了弃世隐居的情怀。

日夕见太行，沉吟未能去①。
问君何以然，世网婴我故②。
小妹日成长，兄弟未有娶。
家贫禄既薄，储蓄非有素。
几回欲奋飞，踟蹰复相顾③。
孙登长啸台，松竹有遗处④。
相去讵几许，故人在中路⑤。
爱染日已薄，禅寂日已固⑥。
忽乎吾将行，宁俟岁云暮⑦。

【注释】

①日夕：近黄昏时。太行：山名，起自河南济源，北入山西境东北走，复入河南省，经辉县、林县，入河北境。为晋、冀等省之天然界山。沉吟：犹豫不决。

②世网：尘世之网。婴：缠绕。陆机《赴洛道中作》："借问子何之？世网婴我身。"

③此二句意谓自己几次想弃世隐居，却又顾及家人，心中犹豫。奋飞：鸟振翼而飞。踟蹰：犹豫。

④孙登：字公和，汲郡共县（今河南辉县）人，魏晋之际著名隐士。《晋书》有传。长啸：撮口发出长而清越之声音。旧传登擅长啸，其声"若鸾凤之音，响乎岩谷"，(《晋书·阮籍传》）曾隐于苏门山（今辉县西北），山上有长啸台。

⑤讵：岂。"相去"句谓王维为官之地距长啸台不远。中路：去隐居地之途中。

⑥爱染：佛家语，爱谓贪爱、爱欲，染谓染污。佛教谓其皆能扰乱众生之身心，使不得解脱。《智度论》卷一："自法爱染故，毁訾他人法。"禅寂：佛家语，禅谓静虑，寂即寂静。指宁静专注思虑义理，驱除诸种世俗妄念。《维摩经·方便品》："一心禅寂，摄诸乱意。"

⑦"忽乎"句意谓自己很快将弃官归隐。语本《楚辞·九章·涉江》："怀信侘傺，忽乎吾将行兮。"宁俟（sì）：何待。云：助词。

【赏析】

这是一首自述之作。诗人向往山中的隐居生活，但受家中生计所累，未能如愿。"小妹日成长，兄弟未有娶"，自己担负的家庭责任很重。然而，诗人的心灵是超脱的，渴望着自由自在无拘无束的生活。“几回欲奋飞”，想像鸟儿一样自由地翱翔，却又几番“踟蹰复相顾”，表现了诗人的矛盾心理。然而，他还是下定决心，归隐的路上有老朋友等着他，“故人在中路”。“爱染”二句，是说自己的爱欲污染之心日渐淡薄，日益坚定地专注于思虑禅理。最后，诗人发出了终将迈向自己向往的生活的呼喊：我这就要动身出发，不能再待到迟暮了！

陶潜任天真，其性颇耽酒。
自从弃官来，家贫不能有①。
九月九日时，菊花空满手②。
中心窃自思，倘有人送否？
白衣携壶觞，果来遗老叟。
且喜得斟酌，安问升与斗？
奋衣野田中，今日嗟无负③。
兀傲迷东西，蓑笠不能守④。
倾倒强行行，酣歌归五柳⑤。
生事不曾问，肯愧家中妇⑥。

【注释】

①《宋书·陶潜传》：“潜性嗜酒，家贫不能恒得，亲旧知其如此，或置酒招之，造饮辄尽，期在必醉。”弃官事见《奉送六舅归陆浑》诗注④。

②陶潜《九日闲居》诗序云：“余闲居爱重九之名，秋菊盈园，而持醪靡

由，空服其华，寄怀于言。”

③奋衣：挥动衣袖。负：一作“有”。陶渊明《饮酒》其二十：“若复不快饮，空负头上巾。”

④兀傲：酒后意气自得之貌。陶渊明《饮酒》其十三：“规规一何愚，兀傲差若颖。”

⑤五柳：指陶渊明住处。《五柳先生传》：“先生不知何许人也，亦不详其姓字，宅边有五柳树，因以为号焉。”

⑥生事：谋生之事。

【赏析】

这是一首描写陶渊明的诗。诗中所叙之事，即著名的“白衣送酒”的故事，记载于《续晋阳秋》中，故事是说陶渊明弃官归隐，有一年重阳节，因为家贫没酒喝，心情特别烦闷，独自在篱笆边散步，忽见一个穿白衣的人说：“奉江州刺史王弘之命，前来送酒。”陶渊明心中大喜，接过酒立即尽饮至醉。“奋衣”六句，描画出陶渊明饮酒时的狂喜和酒后的醉态。结尾二句意思是，谋生之事还没有什么眉目，虽然有愧于家中的妻子，也只有豁出去了！此诗将陶渊明天性纯真、洒脱不羁的形象刻画得入木三分，诗人当是于此心有戚戚焉。

赵女弹箜篌，复能邯郸舞[①]。
夫婿轻薄儿，斗鸡事齐主[②]。
黄金买歌笑，用钱不复数。

许史相经过，高门盈四牡③。
客舍有儒生，昂藏出邹鲁④。
读书三十年，腰下无尺组⑤。
被服圣人教，一生自穷苦⑥。

【注释】

①赵女：赵俗女子多习歌舞，其地女乐、歌舞闻名于世。箜篌(kōng hóu)：古弦乐器，形似瑟而小，七弦。

②斗鸡：《庄子·达生》："纪渻子为王养斗鸡。"陆德明《释文》谓"王"即"齐王"。按：玄宗好斗鸡，唐时斗鸡之风甚盛，颇有以斗鸡而得宠者，此句即借用旧典以讽刺时事。

③许史：汉宣帝时外戚许氏、史氏。《汉书·盖宽饶传》："上无许史之属。"颜师古注："应劭曰：许伯，宣帝皇后父；史高，宣帝外家也。"四牡：套有四匹雄马之车子。

④昂藏：气度轩昂。邹鲁：皆古国名，在今山东。孔子为鲁人，孟子为邹人，邹鲁之地深受儒家影响，多有习儒业者。《史记·货殖列传》："邹鲁滨洙泗，犹有周公遗风，俗好儒，备于礼。"

⑤尺：官印垂下之长度。组：彩色丝带，此指绶带。古时官员以绶带系官印结于腰间，印则垂之腰下。

⑥被服：比喻亲身蒙受，犹如被服覆盖身体。圣人：孔子。

【赏析】

这是一首讽刺现实的诗，写浪荡轻浮的子弟靠斗鸡而受到宠信，享受荣华富贵，醉生梦死，而辛苦读书的儒生却不受赏识，一生穷困潦倒。前八句写靠斗鸡起家的轻浮子弟的铺张奢华、纸醉金迷的生活，他们出手阔绰，结交权贵，过着寒门子弟难以想象的生活。后六句写深受儒家教诲的贤德君子，苦读半辈子圣贤书，却没有办法进入仕途，过着穷愁潦倒的生活。二者对比鲜明，表达了作者对腐朽世风的不满与讥刺，诗人的愤懑之情跃然纸上。前人评价此诗“清人高士胸中，皆似有一段块垒不平处……胸中有激烈悲愤处。”

老来懒赋诗，惟有老相随。
宿世谬词客，前身应画师①。
不能舍余习，偶被世人知。
名字本皆是，此心还不知。

【注释】

①画师：王维善画泼墨山水，晚年隐居辋川时作有《辋川图》，在绘画史上影响极大。

【赏析】

这是一首诗人描摹自己老年心境的诗。“宿世”，有版本作“当世”，与“前身”相对，诗人认为自己是误作了诗人，而更愿意作一位画师。关于王维的绘画造诣，前人评价道：“玄宗时，王维特妙山水，幽深之致，近古未有。”推崇备至。“不能”二句意谓前世积累而来的写诗作画的习惯不能够舍弃，却偶然被世人所知晓了。结尾二句，据学者研究，“皆是”当作“习离”，意思是我的名字本与自己好写诗作画的习性相乖离，而自己心里却不明白。王维字摩诘，用的是佛教居士维摩诘作名字。禅家追求寂定的生活，本不应追求浮名，深研佛理的诗人怎会不知呢？他在此调侃自己，可能是觉得自己的境界还不够高深吧！

西施咏[①]

艳色天下重，西施宁久微[②]？
朝为越溪女，暮作吴宫妃。
贱日岂殊众，贵来方悟稀。
邀人傅脂粉，不自着罗衣。
君宠益娇态，君怜无是非。
当时浣纱伴，莫得同车归[③]。
持谢邻家子，效颦安可希[④]。

【注释】

①西施：春秋时越国美女。《吴越春秋》卷九载，越王勾践为吴王夫差所败，退守会稽，知夫差好色，欲献美女以乱其政，“乃使人寻于国中，得苎萝山鬻薪之女，曰西施、郑旦”，因献于吴王，吴王大悦。

②宁：岂。微：卑贱。

③浣（huàn）纱：相传西施贫贱时，常在江边浣纱。浙江诸暨南有苎萝山，下

临浣江，江上有浣纱石，旧传为西施浣纱处。

④持谢：奉告。效颦，《庄子·天运》："西施病心而颦（皱眉头）其里，其里之丑人，见而美之，归亦捧心而颦其里。其里之富人见之，坚闭门而不出；贫人见之，挈妻子而去之走。"

【赏析】

这是一首咏越国美女西施的诗。在历代咏西施的诗歌中，是立意独特的一首。在诗人笔下，西施不再是美的化身和作为政治牺牲品的同情对象，而是骤然得宠的幸运儿之象征。她一旦得幸君王，便飞黄腾达，不念旧人，一副小人得志之态。最后两句的意思是，奉劝邻居中那些东施效颦的人，不是你们皱皱眉就能够获得恩宠的。此诗采用比兴寄托的表现方式，寄寓着怀才不遇的下层人士的愤懑与不平，深婉含蓄，显微阐幽。古人评价此诗"托意深远，寓意在言外"，甚是。

李陵咏①

汉家李将军，三代将门子。
结发有奇策，少年成壮士②。
长驱塞上儿，深入单于垒③。
旌旗列相向，箫鼓悲何已！
日暮沙漠陲，战声烟尘里。

将令骄虏灭，岂独名王侍[4]？
既失大军援，遂婴穹庐耻[5]。
少小蒙汉恩，何堪坐思此[6]！
深衷欲有报，投躯未能死[7]。
引领望子卿，非君谁相理[8]？

【注释】

①诗题下原注："时年十九。"李陵：字少卿，西汉名将李广之孙。善骑射，汉武帝以为有李广之风，拜为骑都尉。天汉二年（前99），陵"将其步卒五千人，出居延，北行三十日，至浚稽山"，与单于相遇。单于以骑兵八万围击李陵军，陵且战且走，杀伤匈奴万余人。后矢尽道穷，遂降匈奴。事见《史记·李将军列传》《汉书·李陵传》。

②结发：犹言束发，指初成年。

③单（chán）于：匈奴称其君长为单于。

④名王：匈奴中有大名之王。《汉书·宣帝纪》颜师古注："名王者，谓有大名以别诸小王也。"

⑤婴：遭遇。穹庐：毡制大型圆顶帐篷。《汉书·匈奴传》："匈奴父子同穹庐卧。"

⑥坐：忽然，立刻。此：指"穹庐耻"。《汉书·苏武传》载陵谓苏武曰："陵始降时，忽忽如狂，自痛负汉。"

⑦《汉书·李陵传》载陵降匈奴后，武帝大怒，以问太史令司马迁，迁曰："彼（指陵）之不死，宜欲得当以报汉也。"又《苏武传》载陵谓武曰："陵虽驽怯，令汉且贳陵罪，全其老母，使得奋大辱之积志，庶几乎曹柯之盟，此陵宿昔之所不忘也。"投躯：献身。

⑧引领：伸颈远望。子卿：苏武之字。理：申辩。

【赏析】

这是一首歌咏汉代名将李陵的诗，写得雄浑顿挫，慷慨悲昂。李陵英勇无畏，单骑深入，遭遇重围，寡不敌众，被迫降敌，非出本心。诗人用洗练白描的笔法，描绘出一位慷慨悲愤的战士形象。开头四句写李陵出身将门，年纪轻轻，便勇猛有韬略。五至十四句写李陵大战匈奴，不得已投降的经过，突出了他的英勇与无奈。最后六句写李陵的心理活动，他忍辱负重，想要寻找机会报答国家，因此才苟且偷生。而这一番心意向谁诉说呢？恐怕只有苏武才能替传达吧！慷慨悲壮，无可奈何，读者读到此，怎么能不触动心怀，被诗人的艺术感染力深深打动呢？

冬夜书怀

冬宵寒且永，夜漏宫中发①。
草白霭繁霜，木衰澄清月②。
丽服映颓颜，朱灯照华发。
汉家方尚少，顾影惭朝谒③。

【注释】

①永：长。夜漏：漏壶，古滴水计时器。

②霭（ǎi）：霜雾迷茫貌。木衰：树木叶落。澄：清朗貌。

③尚少：汉代颜驷“鬓眉皓白”尚为郎，武帝问其故，答曰：“臣姓颜名驷，以文帝时为郎，文帝好文而臣好武，景帝好老而臣尚少，陛下好少而臣已老，是以三世不遇也。”上感其言，擢为会稽都尉。事见《后汉书·张衡传》注引《汉武故事》。惭朝谒（yè）：谓自己已老，愧于继续为官。朝谒，上朝谒见天子。

【赏析】

这是诗人感叹自己垂老的一首诗。“草白”二句，表面来看，是写冬夜之景，实则以“草白”“木衰”象征诗人生命已到暮年，就好像枯白的野草、凋零的树木一样。“丽服”二句，“丽服”“朱灯”与“颓颜”“华发”形成鲜明的对比，用鲜明的、焕发青春光彩的物象，衬托出诗人的白发衰容。最后两句，感叹朝堂上任用的都是年轻人，而自己年齿已老，羞于继续为官，表现了诗人怅然若失的颓唐心境，隐约表达了诗人离开庙堂、辞官归隐的意愿。

献始兴公①

宁栖野树林，宁饮涧水流。
不用坐粱肉，崎岖见王侯②。
鄙哉匹夫节，布褐将白头③。

任智诚则短，守仁固其优④。
侧闻大君子，安问党与仇⑤。
所不卖公器，动为苍生谋⑥。
贱子跪自陈，可为帐下不⑦？
感激有公议，曲私非所求！

【注释】

①诗题下原注："时拜右拾遗。"右拾遗，官名，属中书省，掌供奉讽谏。始兴公：即开元贤相张九龄，字子寿，韶州曲江（今广东韶关）人。官至同中书门下平章事加中书令，进封始兴县子。

②此二句意谓，用不着为了得到富贵而惴惴不安地去干谒王侯。坐：犹"致"。鲍照《观圃人艺植》："居无逸身伎，安得坐粱肉。"粱肉：美食佳肴。崎岖：不安貌。

③匹夫节：平民之节操。布褐：粗布衣服，平民所服。

④此二句意谓，若论取用才智，确是我之所短；而保持仁德，则为我之长处。

⑤侧闻：谦词，有所耳闻。大君子：指张九龄。党与仇：同党与仇人。晋刘琨《重赠卢谌》："重耳任五贤，小白相射钩。苟能隆二伯，安问党与仇？"

⑥公器：公有之物，此指官爵。《旧唐书·张九龄传》载，九龄曰："官爵者，天下之公器，德望为先，劳旧次焉。"

⑦贱子：作者自谦之称。帐下：属下。不：通"否"。

【赏析】

这是一首诗人献给当时宰相张九龄的干谒诗。前八句写作者的隐者形象，"鄙哉"二句，意谓因为有这种固陋的平民百姓的节操，我准备终身不为官。“任智”二句的意思是：如果谈到取用才智，确实是我的短处；而坚守仁德，却是我的长处所在。九至十二句，是诗人对张九龄的颂扬，这些都有史实可据，并不是一味阿谀奉承之词。结尾四句，表达了作者恳求张九龄举荐自己的愿望。王维写诗求荐，并不可单纯理解为投靠或希求富贵，作为张九龄政治主张的支持者和拥护者，他自然希望自己在政治上也有一番作为。

哭殷遥①

人生能几何，毕竟归无形②。
念君等为死，万事伤人情③。
慈母未及葬，一女才十龄。
泱漭寒郊外，萧条闻哭声④。
浮云为苍茫，飞鸟不能鸣。
行人何寂寞，白日自凄清。
忆昔君在时，问我学无生⑤。
劝君苦不早，令君无所成。
故人各有赠，又不及生平。
负尔非一途，痛哭返柴荆。

【注释】

①殷遥：丹阳人，或云句容人，天宝间终于忠王府仓曹参军。（见《唐诗纪事》）

②曹操《短歌行》：“对酒当歌，人生几何。”

③等为死：犹言同样是死。

④泱漭（mǎng）：广大貌。

⑤学无生：指学佛。

【赏析】

这是一首悼念好友的诗，为好友殷遥送葬后所写。前六句慨叹人生无常，表达了对殷遥英年早逝的痛惜，“万事伤人情”，这种感情是如此沉痛！家中上有老母，下有幼女，这是多么让人惋惜伤怀！七至十二句描述送葬时的凄凉景象，通过对沿途所见景物的勾画描绘，烘托出人们内心的悲凉和怅惋。十一至十四句回忆殷遥生前同自己的交往，悔恨自己没有尽到老师的责任。最后四句，又回到现实中，写故人之赠并未赶上殷遥在世的时候，辜负他很多，心情悔恨。整首诗感情真挚，沉痛悲凉，读来令人下泪。

叹白发

我年一何长，鬓发日已白。

俯仰天地间，能为几时客[1]？

惆怅故山云，徘徊空日夕[2]。

何事与时人，东城复南陌[3]。

【注释】

①《古诗十九首·青青陵上柏》："俯仰天地间，忽如远行客。"

②故山：疑指蓝天山居。

③此二句意谓，何必要与世人一样，奔走于东城南陌，而不弃官归隐呢？

【赏析】

这首诗哀叹时光流逝，大有人生幻电之感。"俯仰"二句，表达了人生如寄的道家思想观念。"惆怅"二句，表达了诗人仕宦生涯的不得已，以及对故乡的深切怀念。结尾二句，表达了诗人归隐的愿望。诗人自谓年事已高，对官场生活早已厌弃，与俗世中人的周旋应付，也早已令他感到疲倦。因此，他非常向往回到自己在蓝田的别业中，亲近自然山水，过上自由自在的田园生活。整首诗表达了诗人人生如寄的感受和热切的归隐愿望，隐约传递出要和"齐物"思想相贴近的意愿。

夷门歌①

七雄雄雌犹未分，攻城杀将何纷纷②。
秦兵益围邯郸急，魏王不救平原君③。
公子为嬴停驷马，执辔愈恭意愈下④。
亥为屠肆鼓刀人，嬴乃夷门抱关者⑤。
非但慷慨献奇谋，意气兼将身命酬。
向风刎颈送公子，七十老翁何所求⑥！

【注释】

①夷门：战国时魏都大梁之东门。故址在今河南开封。

②七雄：战国时七个主要诸侯国齐、楚、秦、燕、赵、魏、韩，合称“七雄”。

③“秦兵”二句：秦军在长平之战大破赵军，又乘胜包围邯郸。赵国写信向魏国求救。魏王畏惧秦国，不敢出兵相救。信陵君屡次劝谏魏王，魏王均不听。邯郸：战国时期赵国都城，今属河北。平原君：战国时赵国宗室大臣，赵武灵王之子，赵惠文王之弟，封于东武（今山东武城），号平原君。战国四公子之一。

④公子：指信陵君，魏王之弟公子无忌，战国四公子之一。嬴：侯嬴，魏国隐士，当时为夷门守门官。辔（pèi）：缰绳。

⑤亥：朱亥。屠肆：屠宰市场。鼓刀：操刀。鼓，挥舞。抱关者：守门人。

⑥《晋书·段灼传》：“七十老翁复何所求哉？”此借作侯生口气。

【赏析】

这是一首歌行体的诗，咏的是战国时魏国隐者侯嬴，语言精练，人物形象鲜明，读来令人印象深刻。前人评价此诗“容易数语，悉尽曲折”，以洗练的语言，将《史记》中原本数千言的故事，化为不足九十字的叙事诗。全诗四句一换韵，韵脚的转换和叙事的转换同步，读来便有顿挫之感。开头四句写事情的缘起，秦兵围邯郸，而魏王却不发兵相救。中间四句交代魏公子无忌的礼贤下士，及侯嬴和朱亥的来历。最后四句，写侯嬴献出奇谋后慷慨就义。这首诗通过对出身下层的侠士侯嬴的热情歌颂，表现了作者奋发有为、积极进取的精神风貌，是他早年诗作的代表。

新秦郡松树歌①

青青山上松，数里不见今更逢。
不见君，心相忆，此心向君君应识②。
为君颜色高且闲，亭亭迥出浮云间③。

【注释】

①新秦郡：天宝元年（742）所置郡名。治所在今陕西神木北。
②君：指松树。识：知。
③颜色：容色，容貌。亭亭：耸立貌。迥：远。

【赏析】

这是一首托物言志的诗歌，描写新秦郡山上的松树。松树的气度是“高且闲”，姿态是“亭亭迥出浮云间”，就好像高洁的隐士一般，旷世独立，人格孤傲。用“君”字称松树，显然是一种拟人的手法，显现出诗人对于高洁品格象征的松树的崇敬之情。“浮云”似是象征浮世的烦扰纷乱，而迥出于浮云之上的松树，显然象征了隐士超脱俗世、追求内心安详宁静的高尚情怀，表达了作者对这种高洁情操的歆慕与向往。前人评价此诗“短短写，亦自婉曲清古”，甚是。

青雀歌①

青雀翅羽短，未能远食玉山禾②。

犹胜黄雀争上下，唧唧空仓复若何！

【注释】

①青雀：鸟名，又叫桑扈，窃脂。《淮南子·说林训》：“桑扈不啄粟。”汉高诱注：“桑扈，青雀，一名窃脂。”赵殿成笺注：“青雀，《尔雅·释鸟》：‘桑扈，窃脂。’郭璞注：‘俗谓之青雀。’”

②鲍照《空城雀》诗：“诚不及青鸟，远食玉山禾。”按《山海经》：玉山，西王母所居。

【赏析】

这也是一首托物言志的诗歌。青雀的形象，显然有别于《庄子·秋水》中描绘的鹓鶵那样，“发于南海，而飞于北海，非梧桐不止，非练实不食，非醴泉不饮”，这样一种与万物齐一的“至人”的象征，亦不能像青鸟那样，“远食玉山禾”，博得高官厚禄，但它尚能够做到恬静不争，不像黄雀那般，为寻找食物上蹿下跳。“青雀”是诗人自况，谓自己虽然无法博得高官厚禄，却也能够做到安时处顺，清高自许，不像那些世俗之人，为一点名利便熙攘追逐，与世沉浮，不能返归内心的自我，生活得可悲。

陇头吟[①]

长安少年游侠客，夜上戍楼看太白[②]。
陇头明月迥临关，陇上行人夜吹笛[③]。
关西老将不胜愁，驻马听之双泪流[④]。
身经大小百余战，麾下偏裨万户侯[⑤]。
苏武才为典属国，节旄空尽海西头[⑥]。

【注释】

①陇头吟：乐府古题之一。陇头，即陇山，在今陕西陇县至甘肃平凉一带。

②戍楼：此指陇关关楼。太白：即金星。《汉书·天文志》：“太白，兵象也。”古人以太白主兵象，测知战争之吉凶、胜负。看太白：意谓少年关心边境战事，希望为国出力。

③迥：远。关：陇关。《后汉书·顺帝纪》唐李贤注：“陇关，陇山之关也，今

名大震关。”故址在今甘肃清水。

④关西：谓函谷关以西之地。《后汉书·虞诩传》：“谚曰：关西出将，关东出相。”

⑤偏裨（pí）：偏将，副将。万户侯：汉置二十等爵，最高一等名通侯，又称列侯。列侯大者食邑万户，称万户侯。

⑥《汉书·苏武传》载，汉武帝时，苏武出使匈奴，被扣留，单于多方胁降，武皆不从，匈奴乃徙武北海上无人处，使牧羊。武既至海上，“杖汉节牧羊，卧起操持，节旄尽落”。武在匈奴十九年，归汉后，“拜为典属国”。《汉书·百官公卿表》：“典属国，秦官，掌蛮夷降者。” 节旄（máo）：古代使臣所持符节，以竹为杆，上缀以旄牛尾，故又称旄节。空尽：徒然落尽。海：指北海，今贝加尔湖。

【赏析】

关于这首诗的主题，沈德潜《唐诗别裁集》论道：“少年看太白星，欲以立功自命也。然老将百战不侯，苏武只邀薄赏，边功岂易立哉！”开头两句写少年战士，用“看太白”的形象说法，隐喻少年纵横疆场、为国立功的志向。五到八句写边关老将，刻画出一位久历戎行而功名蹭蹬的老战士形象。最后两句，借咏苏武之事，慨叹关西老将有功而得不到封赏。诗中将少年的壮怀和老将的悲哀进行对比，隐含着表达一代代志士不断重蹈壮志难酬遭遇的意味，含义警策，寄兴深长。

桃源行[①]

渔舟逐水爱山春，两岸桃花夹去津。
坐看红树不知远，行尽青溪不见人[②]。
山口潜行始隈隩，山开旷望旋平陆。
遥看一处攒云树，近入千家散花竹[③]。
樵客初传汉姓名，居人未改秦衣服[④]。
居人共住武陵源，还从物外起田园[⑤]。
月明松下房栊静，日出云中鸡犬喧[⑥]。
惊闻俗客争来集，竞引还家问都邑[⑦]。
平明闾巷扫花开，薄暮渔樵乘水入。
初因避地去人间，及至成仙遂不还。
峡里谁知有人事，世中遥望空云山[⑧]。
不疑灵境难闻见，尘心未尽思乡县[⑨]。
出洞无论隔山水，辞家终拟长游衍[⑩]。
自谓经过旧不迷，安知峰壑今来变。
当时只记入山深，青溪几度到云林。
春来遍是桃花水，不辨仙源何处寻[⑪]。

【注释】

①诗题下原注："时年十九。"桃源：陶渊明《桃花源记》所写桃花源。

②"渔舟"四句，《桃花源记》："晋太元中，武陵人捕鱼为业，缘溪行，忘路之远近。忽逢桃花林，夹岸数百步，中无杂树，芳草鲜美，落英缤纷。渔人

甚异之，复前行，欲穷其林。林尽水源，便得一山。”逐：随。津：溪流。红树：桃花林。

③“山口”四句，《桃花源记》：“山有小口，仿佛若有光，便舍船从口入。初极狭，才通人；复行数十步，豁然开朗。土地平旷，屋舍俨然，有良田、美池、桑竹之属。”隈（wēi）隩（ào，一说读yù）：曲折幽深之山坳河岸。旋：立刻。攒（cuán）：聚。

④“樵客”二句，《桃花源记》：“自云先世避秦时乱，率妻子邑人，来此绝境，不复出焉，遂与外人间隔。”后附诗曰：“俎豆犹古法，衣裳无新制。”樵客：指桃源中人。此处汉、秦为互文，谓桃源中人仍使用秦汉时姓名，所穿衣服亦秦汉时式样。

⑤武陵：郡名，治所在今湖南常德西。物外：世外。

⑥房栊（lóng）：窗户。借指房舍。鸡犬喧，《桃花源记》：“阡陌交通，鸡犬相闻。”

⑦“惊闻”二句，《桃花源记》：“见渔人，乃大惊。问所从来，具答之。便要还家，为设酒杀鸡作食。村中闻有此人，咸来问讯……余人各复延至其家，皆出酒食。”俗客：指武陵渔人。

⑧“峡里”二句，谓桃源中不知有人世之事，而世间遥望桃源，只见云山，不知其中别有仙境。峡里：桃源中。

⑨“不疑”二句，谓武陵渔人并不怀疑仙境难逢，但俗虑未尽，又思故乡。灵境：仙境。

⑩游衍：游乐。

⑪桃花水：即桃花汛。

【赏析】

这是诗人十九岁时所作的一首咏陶渊明笔下的桃花源的诗，是王维歌行体的代表作之一。前人评此诗“将幽事寂境，长篇大幅，滔滔写来”，又云“叙事展怀，段段血脉，段段景象，亲切如画，殊非人境，令人忘世，流利醇雅”。开头四句写渔人春日沿溪而行。五至二十二句是全诗的主体，写桃花源中的仙人世界。末十句写渔人辞洞还家，再游无路的境况。本来，在陶渊明的笔下，桃花源并不是一个仙境，而是他所向往的没有战乱和赋税的田园世界，而王维此诗却将桃源写成神仙世界，他笔下的仙境弥漫着青春的灵动与恬美，令人无限神往。

洛阳女儿行①

洛阳女儿对门居，才可颜容十五余②。
良人玉勒乘骢马，侍女金盘脍鲤鱼③。
画阁朱楼尽相望，红桃绿柳垂檐向。
罗帷送上七香车，宝扇迎归九华帐④。
狂夫富贵在青春，意气骄奢剧季伦⑤。
自怜碧玉亲教舞，不惜珊瑚持与人⑥。
春窗曙灭九微火，九微片片飞花琐⑦。
戏罢曾无理曲时，妆成只是薰香坐⑧。
城中相识尽繁华，日夜经过赵李家⑨。
谁怜越女颜如玉，贫贱江头自浣纱⑩。

【注释】

①诗题下原注："时年十八。"

②梁武帝萧衍《河中之水歌》："河中之水向东流，洛阳女儿名莫愁。莫愁十三能织绮，十四采桑南陌头。"又《东飞伯劳歌》："谁家女儿对门居，开颜发艳照里间。"可：大约。

③良人：丈夫。玉勒：饰以美玉的带嚼子笼头。骢（cōng）：青白色马。汉辛延年《羽林郎》："就我求珍肴，金盘脍鲤鱼。"脍：切细之肉丝。

④七香车：用多种香料涂饰之华贵车子。宝扇：古时贵人出行用为仪仗，以雉羽制成。九华帐：华丽之帐子。

⑤狂夫：洛阳女儿对丈夫之谦称，亦有放荡不羁之意。剧：甚于。季伦：晋石崇之字。石崇为荆州刺史，劫夺杀人，以致巨富，与贵戚王恺、羊绣之徒，以奢靡相尚。王恺与石崇斗富，晋武帝助王恺，赐他一株世上罕见高二尺多的珊瑚树。恺以其夸示于崇，崇即时以铁如意击之，应手而碎。王恺正待发作，石崇说："不足多恨，今还卿。"于是令人搬来六七株高三四尺的珊瑚树。王恺见了，惘然自失。事见《世说新语·汰侈》《晋书·石崇传》。

⑥碧玉：梁元帝《采莲曲》："碧玉小家女，来嫁汝南王。"此借指"洛阳女儿"。

⑦此二句意谓通宵欢娱，到天亮才灭灯；灯灭以后，灯花片片飞到窗上。九微：灯名。《博物志》载，汉武帝好仙道，在九华殿设九微灯以待西王母降临。花琐：雕花窗格。

⑧理：温习，练习。

⑨赵李：阮籍《咏怀》其五："西游咸阳中，赵李相经过。"顾炎武《日知录》以为指汉成帝二女宠赵飞燕、李平之亲属。此处泛指贵戚。

⑩越女：指西施。参见《西施咏》注。

【赏析】

此诗写豪门贵妇奢侈繁华、纸醉金迷的生活。诗人将贵妇的生活描摹得绮丽秾华，其丽情艳句，足以使粉黛无色，极尽骄奢，表现了诗人高超的艺术水准。最后两句，笔锋一变，转而写贫贱的西施虽是倾城倾国之色，却难以得到富贵人家的欣赏与爱怜。“娇妇”的形象与绮艳的生活虽美，但此处诗人显然是有讽刺的意味在的，当时社会风气便是不重视贤才，而看重人的出身高贵与否。贫女虽美，也无人怜赏，寄托着诗人对世事的不平和怀才不遇的慨叹。

黄雀痴

黄雀痴，黄雀痴，谓言青鷇是我儿①。
一一口衔食，养得成毛衣。
到大啁啾解游飏，各自东西南北飞②。
薄暮空巢上，羁雌独自归③。
凤凰九雏亦如此，慎莫愁思憔悴损容辉④。

【注释】

①青鷇（kòu）：初生之黄雀。鷇，须母鸟哺食之雏鸟。
②啁啾（zhōu jiū）：鸟叫声。游飏（yáng）：飞翔。
③羁雌：孤鸟也。枚乘《七发》：“暮则羁雌迷鸟宿焉。”
④凤凰九雏，《古陇西行》：“凤凰鸣啾啾，一母将九雏。”

【赏析】

此诗写母黄雀含辛茹苦、百般慈爱地养育幼鸟，而子女羽翼丰满后却各奔东西，只剩下母雀独自生活在巢中。此诗以物喻人，借物写景，以母雀比喻母亲，赞美人间母爱的博大无私。“薄暮”二句，用“空”“独自”三字，写出了母鸟孤独一人，凄凉落寞的晚年光景，刻画传神。最后一句以劝慰的语言作结，但我们依然可以感受到诗人那种无可奈何的愁思与哀怨。我们可以想象，诗人写作这首诗的时候，正是他宦游在外，阔别家乡和母亲多年之时，故诗中饱含着对母亲深深的愧意与思念。

赠裴迪①

不相见，不相见来久。
日日泉水头，常忆同携手。
携手本同心，复叹忽分襟②。
相忆今如此，相思深不深。

【注释】

①裴迪：见《赠裴十迪》注①。
②分襟：分离，离别。

【赏析】

顾名思义，这是诗人酬赠友人裴迪的一首诗作，写得直白如话，真挚动人。开头两句“不相见”三字重复使用，给人一种听觉上的回环往复之感，传达出诗人与老友多时不见的怅惘与思念之情。“日日”二句，谓看到泉水源头，便想起我们俩当初每天在一起的时光，睹物思人，寥寥十字，读者便能从中体会到他俩关系亲密。五、六二句，一“忽”字又将思绪从往昔拉回到现实，眼下我们是分别的，这是多么的痛苦。结尾反问“相思深不深”，直抒胸臆，读者沉吟许久，便能体会诗人思念朋友之情语尽而意未尽也。

榆林郡歌①

山头松柏林，山下泉声伤客心。
千里万里春草色，黄河东流流不息。
黄龙戍上游侠儿，愁逢汉使不相识②。

【注释】

①榆林郡：隋置，即胜州，今内蒙古鄂尔多斯左翼地。

②黄龙：古城名，又称和龙城、龙城，故址在今辽宁朝阳。十六国北燕建都于此，南朝宋因称之为黄龙国。汉使：作者自谓。

【赏析】

这是一首描写边塞风光和荒远愁绝之情的诗作。前四句写边塞春天荒凉壮阔之景，“伤客心”三字，写出了边塞之荒凉寂寞的景象所带给人心理上的抑郁和愁苦，传达出边塞将士的思乡之情。连绵万里的春草与东流不息的黄河，不仅是对辽阔荒芜景色的实写，还象征着戍边之人绵绵不绝的愁思。结尾二句写人，“黄龙”此处泛指北境地区，意思是北方边境的边防战士，见到我却并不认得，我是他们故乡之人啊！深婉含蓄地表达出边塞将士服役之苦与思乡情怀之切。王夫之《唐诗评选》评价此诗：“真情，老景，雄风，怨调，只此不愧汉人乐府。”

问寇校书双溪

君家少室西①，为复少室东②？

别来几日今春风。

新买双溪定何似，余生欲寄白云中。

【注释】

①少室：嵩山西峰。

②为复：还是。

【赏析】

这是一首酬赠友人新买别业的诗。开头二句询问寇校书所买双溪在何处，是在少室山的西面，还是少室山的东面。少室山是嵩山的一部分，临近东都洛阳，是唐代隐士常居之地。第三句是说，我们相别几日，现在正是春风荡漾之时。结尾二句，询问友人所买的双溪是什么样子的呢，你的余生大概便会寄托在这双溪的白云中了吧！表达了诗人对山林隐居生活的企慕。整首诗写得俏皮活泼、明白如话，既表明了自己与友人兴味相投，向往安闲自在的山林隐逸生活，又流露出对友人能够买得双溪作为归隐之地的祝贺与歆羡之情。

寄崇梵僧[①]

崇梵僧，崇梵僧，秋归覆釜春不还[②]。
落花啼鸟纷纷乱，涧户山窗寂寂闲。
峡里谁知有人事，郡中遥望空云山。

【注释】

①崇梵：寺名。
②覆釜：村名，在崇梵寺附近。

【赏析】

此诗描写崇梵寺僧幽寂的山林生活。“落花啼鸟纷纷乱”，写动态的景物，“涧户山窗寂寂闲”写静态的景物，动静结合，描绘出自然景物富于变幻的动态之美，和山林索居环境的幽深清致。此二句又充满禅味，佛教认为，自然物象的流变不过是主体心象的变幻，所有的动态都是刹那寂静的，这两句正能体现佛教的空观哲思。末尾二句意思是：崇梵僧在山中，不知有人世之事，而诗人自已由济州遥望崇梵寺，也只能看到茫茫的云山罢了。二句情韵缥缈悠扬，富于哲理，写出了山僧与俗世茫然两不知的境况，隐晦地传达了作者对山寺禅定悟道生活的向往之情。

雪中忆李揖①

积雪满阡陌，故人不可期。

长安千门复万户，何处蹀躞黄金羁②？

【注释】

①李揖：唐人，曾官延安太守。

②蹀躞（xiè dié）：小步行走貌。黄金羁：黄金所制马龙头。吴均诗：“白马黄金羁，青骊紫丝鞚。”

【赏析】

这是一首杂言诗，写的是诗人在大雪铺满道路的冬日，思念老朋友李揖，寥寥数语，情真意切，表达了对故友的挂念。“阡陌”指道路，前两句意思是，积雪覆盖住了道路，故人不知道何时才会来访。“黄金羁”，以黄金所制造的马笼头，指代李揖所乘之马。后两句的意思是，长安城中千门万户，哪里有你李揖缓步骑马的身影呢？李揖此时可能在长安任官，而诗人不在长安，最后两句是他想象老友此时的情状，末句发问，表达了诗人此时对朋友深深的思念之情。

寒食城东即事

清溪一道穿桃李，演漾绿蒲涵白芷①。
溪上人家凡几家，落花半落东流水。
蹴鞠屡过飞鸟上，秋千竞出垂杨里②。
少年分日作遨游，不用清明兼上巳③。

【注释】

①演漾：水波的荡漾。阮籍《咏怀》之七五：“泛泛乘轻舟，演漾靡所望。”涵：沉浸。

②蹴踘：戏名，以皮为之，中实以毛，蹴蹋为戏也。

③分日：春分之日。上巳：阴历三月上旬之巳日为上巳节，俗以此日祓除不祥。

【赏析】

宗懔《荆楚岁时记》载："去冬至节一百五日，即有疾风甚雨，谓之寒食。禁火三日，造饧，大麦粥。斗鸡、镂鸡子、打毬、秋千、施钩之戏。按历，合在清明前二日。"此诗便是描写寒食之日秀丽的春光和少年游春嬉戏的场景。最后两句的意思是说，少年们兴致最高，用不着等到三月的清明和上巳，二月春分以来就在外面游玩了。前四句写景，后四句写人，在桃花流水的背景中点缀着不时飞上天去的彩球和绿杨下荡漾的秋千，字里行间跳荡着青春的欢乐气息，反映出盛唐时的繁华，展现出清新灵动、生气勃发的青春活力。

不遇咏

北阙献书寝不报，南山种田时不登①。
百人会中身不预，五侯门前心不能②。
身投河朔饮君酒，家在茂陵平安否③？
且共登山复临水，莫问春风动杨柳。
今人作人多自私，我心不说君应知④。

济人然后拂衣去，肯作徒尔一男儿⑤！

【注释】

①北阙，《汉书·高帝纪》："萧何治未央宫，立东阙、北阙。"此泛指宫阙。献书：向天子进献书疏、文章，以求进用。寝：搁置。不报：不答复。不登：没有收成。

②百人会，《世说新语·宠礼》："孝武在西堂会，伏滔预坐。还，下车呼其儿，语之曰：'百人高会，临坐，未得他语，先问："伏滔何在？在此不？"此故未易得。为人作父如此，何如？'"预：参预。五侯：汉成帝舅王谭兄弟五人同日封侯，世称五侯。

③河朔：河北。君：王维所干谒投靠之人。茂陵：汉武帝刘彻陵墓，在今陕西兴平市东北。

④说：通"悦"。

⑤济人：救助世人。拂衣：此指弃官隐居。《后汉书·杨彪传》载孔融曰："孔融鲁国男子，明日便当拂衣而去，不复朝矣！"肯：犹"岂"。徒尔：徒然，枉然。

【赏析】

这首诗采用第一人称的口吻，向别人述说自己的不幸遭遇和愤慨心情。开头四句，连用四个"不"字，即四个典故，反复抒写自己种种困顿失意的情形。五至八句，从前四句过渡而来，描写主人公失意不遇后漂泊落魄的生活，主人公远游河朔，投靠他人，过着寄人篱下的生活，心中产生了无尽的思乡之情。虽然思乡心切，却归期遥遥，姑且留在此地，登山临水，即使春风吹动着杨柳，惹起了离思，也全然不顾了，诗人心中的酸楚哀伤可想而知。最后四句，表达了诗人对世俗的态度和人生的理想，对自私自利的现象，诗人极端鄙视，他所向往的，是先济世致用，然后功成身退，去作个隐士，这才是大丈夫的所作所为！全诗的格调是悲愤中带着激昂与乐观，寄托着诗人经世济民的政治抱负。

答张五弟①

终南有茅屋，前对终南山。
终年无客长闭关②，终日无心长自闲。
不妨饮酒复垂钓，君但能来相往还。

【注释】

①张五：即张諲（yīn）。参见《戏赠张五弟諲三首》注①。
②闭关：闭门。

【赏析】

这是诗人中年以后隐居终南山期间所写的赠答友人的诗，诗的主旨是邀请对方常到他隐居的地方来往。前四句，每句都用了一个“终”字，又用两“长”字、两“无”字，回环往复，更突出地表现了诗人寂静安闲的隐居生活，无拘无束，无忧无虑。“无心”是佛教用语，指解脱邪念的真心，只有获得解脱邪念的真心，才能够“长自闲”，悠闲安适，诗人深解佛中妙理。结尾二句，“饮酒”“垂钓”，都是极闲散舒适之事，是张谭所好，然并非王维所好，故用“不妨”二字，意谓友人你尽管来，我陪你做你喜欢的事。前人评此诗“略不构思，语极清迥”，全诗自然亲切，体现了诗人闲适旷达的生活态度和与友人同乐的情感。

酬张少府①

晚年惟好静，万事不关心。
自顾无长策，空知返旧林②。
松风吹解带，山月照弹琴。
君问穷通理，渔歌入浦深③。

【注释】

①张少府：不详。少府，县尉别称。
②长策：高见，好计策。
③穷通：穷困与显达。

【赏析】

这是一首赠答友人的诗，从诗的内容可以看出，张少府曾写信给王维，询问“穷通”之理，诗人便以这首诗作为回答。开头两句，表明自己目前的生活状态和人生态度。三、四两句，诗人自述没有什么高明的策略，而只知道去过隐居生活。“空”字又隐约传递出诗人无可奈何的心境，似乎在诗人恬淡的外表下，潜藏着对时局的不满与内心的不平。五、六两句形象地描绘了诗人隐居山林生活的乐趣，笔端高妙，动静交融，写出了寂静、悠闲的生活意趣。结尾二句，与禅宗的问答：“如何是佛法大意？”“春来草自青。”以不答而答，禅趣十足。穷通之理，只能默喻，君欲究问，无可奉答，试听浦上渔歌，则乐天知命，会心不远了。用平静的描述表达了诗人达观知命的禅思。

喜祖三至留宿①

门前洛阳客，下马拂征衣②。
不枉故人驾，平生多掩扉③。
行人返深巷，积雪带余晖。
早岁同袍者，高车何处归④？

【注释】

①祖三：祖咏，参见《齐州送祖三》注①。
②洛阳客：祖咏为洛阳人，故云。拂征衣：掸去旅人衣上的尘土。
③枉驾：称人走访之敬辞。掩扉：闭门谢客。
④同袍：挚友。祖咏幼年即与王维相交，故称“早岁同袍者”。《诗·秦风·

无衣》："岂曰无衣，与子同袍。"袍，绵衣。高车：敬称他人之车。此句表示留宿之意。

【赏析】

此诗写见到故友的喜悦心情和欲留其住宿的劝说之意，写得天然真切、委婉含蓄，前人认为此诗"不事工巧极自然"。三、四两句意谓：自己平日多闭门谢客，不愿委屈故人来访。这样说，更反衬出诗人"留宿"的不同寻常以及他与祖咏交情之深厚。结尾二句的意思是：既然天色已晚，路上又有积雪，与我幼年即相识的挚友啊，你的高驾尚欲归何处呢？全诗无华丽辞藻，而通过委婉含蓄的表达，使读者感受到自己与祖咏之间真挚的友情。

酬虞部苏员外过蓝田别业不见留之作①

贫居依谷口，乔木带荒村②。
石路枉回驾，山家谁候门③？
渔舟胶冻浦，猎犬绕寒原④。
惟有白云外，疏钟闻夜猿⑤。

【注释】

①虞部：工部四司之一，置员外郎一人，从六品上，掌山泽苑囿等事。苏员外：不详。员外，即员外郎。蓝田别业：王维辋川别业。不见留：指苏员外

访王维不遇，未尝在辋川停留。

②谷口：即辋谷口。乔木：高木。带：绕。

③枉回驾：谓屈尊见访，不遇而返。山家：蓝田山居。

④胶：粘着。浦：水边。

⑤夜猿：夜间猿啼声。

【赏析】

苏员外造访诗人的蓝田别业，不遇而还，留诗一首，王维回家后，得知客人未入门而返，深感歉意，就写下此诗作答。首二句，写自己所居之处的荒僻简陋。三、四两句，写屈尊见访，不遇而返，而自己不在，家中无人候门待客。最后四句，写作者向苏员外归去的方向远远望去，只见到一片荒凉孤寂的景象，只听到白云外萧疏的钟声间杂着猿猴的哀鸣。前人云此诗“后四句似不沾题，映带蕴藉，妙在言外”，后四句通过诗人对所见景象凄凉氛围的渲染，衬托出未见到友人的失落心情，以及对友人的思念。

酬比部杨员外暮宿琴台朝跻书阁率尔见赠之作[①]

旧简拂尘看，鸣琴候月弹[②]。
桃源迷汉姓，松树有秦官[③]。
空谷归人少，青山背日寒。
羡君栖隐处，遥望白云端。

【注释】

①比部：官名，掌勾稽之账。杨员外：不详。琴台：在今山东单县。一名单父台，又名半月台，为纪念春秋时在单父“吟琴而治”的良吏宓子贱而修筑。跻(jī)：登。书阁：未详所指。率尔：轻率，急遽貌。

②旧简：旧书。

③桃源：即陶渊明《桃花源记》所写桃花源。迷汉姓，《桃花源记》：“自云先世避秦时乱，率妻子邑人，来此绝境，不复出焉，遂与外人间隔。问今是何世，乃不知有汉，无论魏晋。”松树有秦官，《艺文类聚》引《汉官仪》：“秦始王上封泰山，逢疾风暴雨，赖得松树，因复其下封为五大夫。”

【赏析】

这是一首诗人酬答杨员外赠诗之作。“旧简”句，写杨员外于书阁批阅古籍，即诗题所谓“朝跻书阁”。“鸣琴”句，写杨员外于琴台待月弹琴，即诗题所谓“暮宿琴台”。颔联二句，指杨员外在琴台附近的隐居处为世外桃源，周围有非常古老的松树。颈联继续写隐居之处的景物环境，“少”字与“寒”字，将环境的空幽寂静展现在读者眼前。尾联一“羡”字，表达了诗人对杨员外隐居生活的歆羡之情，“白云”正是闲适恬淡的象征，杨员外的隐居生活像高居于白云之上，令人羡慕与神往，表达了作者对高洁幽静的隐居生活的向往之情。

辋川闲居赠裴秀才迪①

寒山转苍翠，秋水日潺湲②。
倚杖柴门外，临风听暮蝉。
渡头余落日，墟里上孤烟③。
复值接舆醉，狂歌五柳前④。

【注释】

①裴迪：见《赠裴十迪》注①。

②潺湲（chán yuán）：水流貌。

③墟里：村落。陶渊明《归园田居五首》其一："暧暧远人村，依依墟里烟。"

④接舆：即楚狂接舆，春秋楚隐士，佯狂遁世，躬耕而食。事见《论语·微子》《庄子·人间世》《韩诗外传》等。五柳，陶渊明《五柳先生传》："先生不知何许人也，亦不详其姓字。宅边有五柳树，因以为号焉。"此处借指辋川别业。

【赏析】

这首诗描绘了辋川的秋景，抒发了与挚友闲居的幽情。前六句写景。"转"字运用极妙，体现诗人对此山用情至深，用心体会到景象的时节变化。五、六两句是王维写景的名句，历来为人称道。"余"字描摹出黄昏落日的渐进过程，"上"字使我们仿佛看到孤烟持续升腾的动态，这二字将动态的景物活灵活现地呈现在读者面前，前人评此联“语语天成”，“一时情景，真率古淡”，实则千锤百炼而出。结尾二句抒情，“复”字写出了作者情感的加倍与进程，以楚狂接舆比拟裴迪，赞扬了他的狂放不羁。

寄荆州张丞相①

所思竟何在？怅望深荆门②。
举世无相识，终身思旧恩③。
方将与农圃，艺植老丘园④。
目尽南飞鸟，何由寄一言⑤！

【注释】

①荆州：唐州名，今属湖北。张丞相：张九龄，见《献始兴公》注①。时九龄遭李林甫馋毁，被贬为荆州大都督府长史。

②沈约《临高台》：“所思竟何在？洛阳南陌头。”荆门：山名，在湖北宜都西北。或谓唐人多呼荆州为荆门，文人称谓如此，不仅指荆门一山矣。

③旧恩，《新唐书·王维传》：“张九龄执政，擢右拾遗。”

④与农圃：参与耕田种菜，指隐居躬耕。艺：种植。老丘园：终老于田园。

⑤飞，一作“无”。鸟，一作“雁”。

【赏析】

这是一首表达诗人归隐愿望的诗。前人评价此诗“情深质直，写情冲淡”。头两句写对张九龄的思念，“深”字表明张九龄被贬的所在地荆州离京城之远，张九龄所处之幽深，更加重体现了诗人思念故人之切。三、四两句写对张九龄知遇之恩的感激。“举世”写明自己不受世人赏识，更加突出了张九龄对自己知遇之恩的难得与珍贵。“终身”二字，表达诗人对张九龄的感激之情。五、六两句写诗人自己归隐的决心，意思是，张九龄遭到不幸，被贬荆州，我也将会追随您，不再待在污浊的官场，辞官归隐。结尾二句，借景抒情，表达了对张九龄深深的思念之情。

冬晚对雪忆胡居士家①

寒更传晓箭，清镜览衰颜②。
隔牖风惊竹，开门雪满山③。
洒空深巷静，积素广庭闲④。
借问袁安舍，翛然尚闭关⑤。

【注释】

①胡居士：未详。居士，在家奉佛之人。

②寒更：寒夜之更鼓声。传晓箭：指报晓。箭，古计时器漏壶中之浮箭，上刻度数，随漏壶中水不断下滴，浮箭上刻度依次显现，即可依时刻报更。

③牖（yǒu）：窗户。

④洒空：指下雪。积素：积雪。

⑤袁安：字邵公，东汉汝阳（今河南商水）人。《后汉书·袁安传》注引

《汝南先贤传》："时大雪，积地丈余，洛阳令自出案行，见人家皆除雪出，有乞食者。至袁安门，无有行路，谓安已死，令人除雪入户，见安僵卧，问：'何以不出？'安曰：'大雪，人皆饿，不宜干人。'令以为贤，举为孝廉也。"翛（xiāo）然：无拘无束，超脱貌。闭关：闭门。

【赏析】

这是一首王维描写雪景的名作，前人评价此诗"雪诗如此，甚大雅，恰好"。颔联从听觉、视觉感受的变化过程中，写出自己从听到看的过程，诗人好像在没有思想准备的情形下突然发现了一个银装素裹的世界，心中霎那间充满愉悦与神往之感，以含蓄的风格创造了感人的美境。颈联是正面咏雪，由洒空的落雪所呈现的静，衬托出深巷之深，这种纵深感一直绵延至诗人视野以外，而积素所展现的闲，则使广庭愈广。这是诗人的内心状态，也与外部宇宙的闲静深邃相符。尾联用袁安的典故，表现了胡居士的仁德贤良。

山居秋暝①

空山新雨后，天气晚来秋。
明月松间照，清泉石上流。
竹喧归浣女，莲动下渔舟②。
随意春芳歇，王孙自可留③。

【注释】

①暝：天黑。

②浣（huàn）女：洗衣女。

③随意：任凭，不觉。春芳：春日花草。歇：消歇，枯萎。王孙：王室子孙，泛指贵族子弟，亦指隐居之人。此为作者自称。《楚辞·招隐士》："王孙游兮不归，春草生兮萋萋……王孙兮归来，山中兮不可以久留。"此句作者反用其意。

【赏析】

这是一首诗人描绘在终南山别业山居生活的诗，以朴素清新的语言摹写出清秋薄暮雨后初晴的山居图景，是王维的代表作之一。前六句写景，从光影、声响与作者的感觉印象着笔，境界空明澄静，是一个安静而一尘不染的洁净世界，也是诗人空静清明心境的写照。三、四两句，一写静景，一写动景，将光影和声音交融在一起，构成了极其生动幽美的意境。五、六两句表现人的活动，但并无对人的直接描写，完全融化于山水之中。尾联由写景转向抒情，任凭春天的美景已经凋谢，自己仍旧可以留在山中欣赏怡人的秋景。表现了诗人追求自由与高洁生活的人格理想。

终南别业[①]

中岁颇好道，晚家南山陲[②]。
兴来每独往，胜事空自知[③]。
行到水穷处，坐看云起时。
偶然值林叟，谈笑无还期[④]。

【注释】

①终南：山名。王维曾隐终南，本诗即是时所作。

②中岁：中年。道：指佛学禅理。晚：晚近、近时。南山：即终南山。陲：边缘，旁边，边境。

③胜事：美好之事。

④值：遇见。无还期：无准确归期。

【赏析】

这首诗描写了诗人隐居山林后自由自在、无忧无虑的生活。三、四两句，用“独”字、“空”字，表现了诗人的孤独，这些引起诗人兴味的快意之事，仿佛只有诗人自己能够独自体味，他的意趣在于无目的地与自然交流，表现了他对佛理了悟之深。五、六两句是名句，言行至水穷，若已到尽头，而又看云起，见妙境无穷，微妙地表达了将时间空间化的过程，和以空间吸收无限时间的深长意味。诗人常把自己的注意力放在空寂宁静的自然物境之中，习禅的关照和审美的关照合二为一，禅意自然就会渗入山情水态之中。

山居即事

寂寞掩柴扉，苍茫对落晖①。
鹤巢松树遍，人访荜门稀②。
嫩竹含新粉，红莲落故衣③。
渡头灯火起，处处采菱归。

【注释】

①庾信《拟咏怀二十七首》其十七："日晚荒城上，苍茫余落晖。"

②荜（bì）：亦作"筚"。荆竹织门也。此指简陋之住处。

③新粉：新竹表皮上有一层白色粉末，故云。落故衣：莲花凋谢时花瓣脱落。庾信《入彭城馆》："槐庭垂绿穗，莲浦落红衣。"

【赏析】

这也是诗人描写自己山居生活的一首诗。首句"寂寞"二字开头，表现了诗人独居时孤独无聊的心态。"掩柴扉"不是关门回家，而是出门，故才有后面诗人所见之景。颔联"稀"字再次体现了诗人所居环境的幽深寂静，几乎无人拜访，照应了首句"寂寞"二字。但是，这种孤独寂静的、无人打搅的生活，还是诗人所乐意接受的，故颈联写到了"粉""红"这些鲜明亮丽的色彩，给人以万物生生不息之感。尾联描写渡头的灯光，采莲人归，一幅安详静谧的画卷展现在读者眼前，使我们体会到诗人空静愉悦的心境。

韦给事山居[1]

幽寻得此地，讵有一人曾[2]？
大壑随阶转，群山入户登。
庖厨出深竹，印绶隔垂藤[3]。
即事辞轩冕，谁云病未能[4]？

【注释】

①韦给事：韦恒，郑州阳武（今河南原阳）人。曾官太常少卿、给事中。给事，官名，即给事中，唐门下省置给事中四员，掌陪侍左右，分判省事。

②讵：岂。

③此句意谓山居布满垂藤，游人所带印绶常被遮挡。

④轩冕：古时大夫以上官员乘轩服冕，故以轩冕借指官位。病：感到为难。

【赏析】

这首诗写出了山居环境的幽奇深秀。颔联写出网罗天地于门户，吸引山川于胸怀的空间意识，移远就近，由近知远。颈联的意思是，厨房掩映在一片苍翠的竹林中，别业中布满垂藤，游客身上的印绶每被遮隔，将人事与自然景色融为一体，表现了韦给事山居生活的自然闲适，与自然融为一体的生命情操。尾联的意思是：现在立即辞掉官位，又有什么困难呢？表达了作者鄙弃官场，对那种与自然融为一体、悠闲自在的隐居生活的强烈向往之情。

归嵩山作①

清川带长薄，车马去闲闲②。
流水如有意，暮禽相与还③。
荒城临古渡，落日满秋山。
迢递嵩高下，归来且闭关④。

【注释】

①嵩山：又名嵩高山，在今河南。作者曾隐居于此。

②陆机《君子有所思行》：“曲池何湛湛，清川带华薄。”带：围绕。薄：草木丛生之地。闲闲：往来自得貌。

③陶渊明《饮酒》其五：“山气日夕佳，飞鸟相与还。”

④迢递：高远貌。闭关：闭门。

【赏析】

这是作者返归隐居之处嵩山的一首诗作。整首诗层次分明，随着诗人笔锋的变化，我们既可以领略归途中景色的变换，也可以隐约触摸到作者感情的微妙变化：由安详闲适到凄清悲苦，再到恬静淡泊。前四句描写，主要表达了诗人开启返归旅程时的安详闲适之意，“流水”句，意谓水从嵩山流来，就像有意相迎，表现了诗人的喜悦。“荒城”二句，刻画了荒城古渡、秋山落日的景象，形成了一种萧索苍凉的气氛，反映了诗人归隐后落寞与悲凉的心境。尾联二句，不远万里至嵩山脚下，从此以后开始闭门谢客的隐居生活。此时诗人的心境，又复归于从容恬静，一心想着他幽静的山居生活了。

归辋川作

谷口疏钟动，渔樵稍欲稀①。
悠然远山暮，独向白云归②。
菱蔓弱难定，杨花轻易飞③。
东皋春草色，惆怅掩柴扉④。

【注释】

①谷口：即辋谷口。疏钟：稀疏之钟声。稍欲：渐已。
②悠然：闲静貌。
③菱蔓：菱初生之细茎。此句谓菱蔓细弱，随波飘荡不定。
④皋：水边之地。此指辋川。

【赏析】

这是一首描写辋川别业的诗。诗中的景物描写，让人体悟到一种闲静清空的禅趣。第一句写钟声，第二句写渔人回棹，声象交融，描绘出一幅苍茫浑朴的山川暮色。“悠然”二句，写作者远眺所见到的暮色中的远山与白云，一“归”字将白云的移动变幻写活，使读者感受到暮色中自然风物变幻莫测的奇景。“菱蔓”二句，既是摹写物态，又是对人生如幻的暗示，体现了宇宙至理。尾联由写景转向抒情，对着田野中一片萋萋的青草，诗人的心境是惆怅的。这种惆怅，是佛教教义中对万物无限悲悯式的惆怅，包含着诗人对人生如幻的感慨和寄情于佛理的哀思。

终南山

太乙近天都，连山到海隅①。
白云回望合，青霭入看无②。
分野中峰变，阴晴众壑殊③。
欲投人处宿，隔水问樵夫。

【注释】

①太乙：又作“太一”，唐人多称终南山为太一。《元和郡县志》卷一：“终

南山在县（京兆）南五十里。按经传所说，终南山一名太一，亦名中南。”天都：天帝之都。亦指天空。海隅：海角，海边。此为夸张说法。

②霭：云气。

③分野：古人以地上州国同天上星辰位置相配，谓之分野。壑：山沟，山谷。

【赏析】

这首诗从终南山的主峰太乙写起，总揽全山，接着从各个角度描绘出终南山雄伟磅礴的气势。首联写仰望高山，视点在山下。颔联写山间云雾，视点在山中。颈联写俯瞰全峰，视点在山顶。尾联“隔水”一问，由实写转向虚写，以我观物，即景抒情，将留宿山中，明日再游之情点出，表达了诗人对山景的留恋及对幽静澄清境界的神往。这首诗中，诗人时而俯仰千里，时而由远移近，时而由山外至山中，这是诗人用心灵俯仰的眼光来看空间万象，下笔有鸿蒙之气，写出了大自然的奇观。

辋川闲居

一从归白社，不复到青门①。

时倚檐前树，远看原上村。

青菰临水映，白鸟向山翻②。

寂寞於陵子，桔槔方灌园③。

【注释】

①一从：自从。白社：洛阳里名，故址在今河南洛阳东。古诗中多以白社称隐者所居之地。此借指辋川别业。青门：汉长安城门之一，此借指官场仕途。

②青菰（gū）：茭白。

③於（wū）陵：战国齐邑，在今山东邹平东南；於陵子：即陈仲子。《孟子·滕文公下》："仲子，齐之世家也；兄戴，盖禄万锺；以兄之禄为不义之禄而不食也，以兄之室为不义之室而不居也，辟兄离母，处于於陵。"《高士传》载，陈仲子携妻子适楚，居於陵，自称於陵仲子。楚王闻其贤，遣使聘之，仲子与妻子逃去，为人灌园。桔槔（gāo）：一种井上汲水工具。

【赏析】

这是诗人在辋川别业闲居时所作。首联总起，写自己自从归隐辋川后，就没有再踏入官场了。"白社"与"青门"皆是典故，而又对仗工整，体现了诗人的匠心独运。颔联写诗人的活动，"时倚""远看"四字，写出了诗人常常眺望远方美景的动作，表现了诗人的寂寞心境。颈联写景，"映"字、"翻"字形象描绘了动态的景物，体现了大自然生动活泼的景象。尾联又以於陵子自况，写自己寂寞中尚有所事，汲水灌园，亦不失为自娱自乐。整首诗情景交融，表现了诗人幽静孤寂的山中隐居生活，以及这种生活所带给诗人的寂寞但恬适的乐趣。

春园即事

宿雨乘轻屐，春寒着弊袍①。
开畦分白水，间柳发红桃②。
草际成棋局，林端举桔槔③。
还持鹿皮几，日暮隐蓬蒿④。

【注释】

①宿雨：昨夜之雨。屐（jī）：木制鞋，底有齿。雨后登木屐可防路滑。
②畦（qí）：田园分成的小区。
③桔槔：见《辋川闲居》注③。
④鹿皮几：裹以鹿皮之小桌，可用以靠身。

【赏析】

这是一首描写诗人春日田园生活的五言律诗。首联二句即对仗，"轻屐""弊袍"，突显了诗人田园家居生活的随意安适。颔联两句，"开畦分白水"的意思是，雨后开畦排水，以使庄稼更好地生长。颈联两句的意思是说，田野草地好像棋盘一样，树林上高高翘起了汲水的桔槔。颔联、颈联四句，将田园劳作的场景与大自然春日呈现的美景交融在一起，传达出浓郁的田园生活气息。尾联意思是，我拿来鹿皮做的小几，黄昏降临，我靠着它静坐在草舍之中。尾联所描绘的诗人的动作，正是他内心寂静安详的外在写照，诗人与这片春天里的田园风景完全融为一体，物我两忘，体现其高迈悠远的生命哲思。

淇上即事田园①

屏居淇水上，东野旷无山②。
日隐桑柘外，河明闾井间③。
牧童望村去，猎犬随人还。
静者亦何事，荆扉乘昼关④。

【注释】

①淇上：淇水之上。淇水即今河南北部淇河。

②屏居：犹隐居。

③柘（zhè）：树名，叶卵形或椭圆形，可饲蚕。闾井：房屋、水井等建筑物。泛指居民聚居之处。

④静者：幽居守静之人。多用以指隐者及僧人。此处为作者自指。

【赏析】

这首诗展现出恬静而富有生活情趣的乡村黄昏景象。首联总写淇水边的景象，空旷无际，没有山脉阻隔。接下去的四句写乡村田野黄昏中的景色。颔联中“隐”字与“明”字对比鲜明，诗人敏锐地捕捉到了黄昏落日之景，黄昏太阳下山，但余晖仍然照耀河上，远处望去河水一片澄明。颈联白描如话，写出暮色下村人缓缓而归的动态场景，美妙地表现出乡村黄昏活跃而宁静的气氛，令人神往。尾联又转而写诗人自己，谓自己是清静无为的隐者，趁着天还亮，将柴门关上。平常的动作描写，将诗人田园生活的惬意旷达巧妙地显现出来。

与卢象集朱家[①]

主人能爱客，终日有逢迎。
贳得新丰酒，复闻秦女筝[②]。
柳条疏客舍，槐叶下秋城。
语笑且为乐，吾将达此生[③]。

【注释】

①卢象：字纬卿，官终尚书郎，始以章句振起于开元中，与王维、崔颢比肩。（见刘禹锡《卢象集》序）朱家：未详所指。

②贳（shì）：赊欠。新丰酒，梁元帝诗："试酌新丰酒，聊劝阳台人。"按新丰在今西安临潼区东北。秦女筝：即筝，旧时秦地乐器，多为女子所弹奏，故云。亦称秦筝。曹植《箜篌引》："秦筝何慷慨，齐瑟和且柔。"

③达此生：使此生达观。

【赏析】

这是一首写与友人卢象一起拜访朱家时欢会情景的

诗。首联写主人好客，终日客流不断。颔联写宴会场景的热闹非凡，喝着美酒，听歌姬谈筝。颈联是景物描写，“疏”字与“下”字生动地描绘出秋天树叶萧疏纷落的景象，充盈着动态美感。尾联抒情，“达生”一词出自《庄子》：“达生之情者，不务生之所无以为。”意思是说，通达生命真谛，不追求生命所不必要的东西。作者在朱家的宴会上，领悟到的正是这种达观超然、知足而乐的生命真谛。

晚春严少尹与诸公见过①

松菊荒三径，图书共五车②。
烹葵邀上客，看竹到贫家③。
鹊乳先春草，莺啼过落花④。
自怜黄发暮，一倍惜年华⑤。

【注释】

①严少尹：即严武。曾拜京兆少尹。见过：过访自己。

②三径：喻隐者之家园。晋赵岐《三辅决录·逃名》：“蒋诩归乡里，荆棘塞门，舍中有三径，不出，唯求仲、羊仲从之游。”陶渊明《归去来兮辞》：“三径就荒，松菊犹存。”五车：言书之多，以五车载之。《庄子·天下》：“惠施多方，其书五车。”

③葵：植物名。古代重要蔬菜之一。《古文苑》卷二宋玉《讽赋》：“上客

远来……乃炊雕胡之饭，烹露葵之羹以食之。”上客：尊贵客人。看竹，《晋书·王徽之传》：“时吴中一士大夫家有好竹，欲观之，便出坐舆造竹下，讽啸良久。主人洒扫请坐，徽之不顾。将出，主人乃闭门，徽之便以此赏之，尽欢而去。”事又载《世说新语·简傲》。

④鹊：喜鹊。乳：《说文》：“人及鸟生子曰乳。”此句意谓春残花落，莺犹啼不已。

⑤黄发：年老之征。《诗·鲁颂·閟宫》：“黄发台背。”郑笺：“皆寿征也。”盖人老发白，白久而黄，故云。

【赏析】

这是一首写严武等人过访诗人家宴乐场景的诗篇。首联写自己隐居的家中藏书丰富，传达出诗人博学和高洁的情操。颔联用典，前一句写用葵菜招待尊贵的宾客。后一句用王徽之看竹的典故，表现了诗人不同凡俗的审美意趣，传达出严武等访客与诗人自己高尚的隐者情操。颈联写景，意思是说，乌鹊在春草萌生之前就已经育子了，春残花落，黄莺犹鸣啼不已。此二句隐藏的含义是，鸟雀亦知惜春，欲借先育子、啼落花来延长春日。尾联抒情，人当暮年，愈加感到韶华易逝，光阴可惜。

过感化寺昙兴上人山院[1]

暮持筇竹杖，相待虎溪头[2]。

催客闻山响，归房逐水流③。
野花丛发好，谷鸟一声幽。
夜坐空林寂，松风直似秋。

【注释】

①感化寺：一作化感寺，在陕西蓝田。昙兴上人：未详。

②筇（qióng）竹杖：即邛杖。筇竹，又叫罗汉竹，西南地区特有竹种，具有较高观赏价值和工艺。《史记·大宛列传》："臣（张骞）在大夏时，见邛竹杖、蜀布……大夏国人曰，吾贾人往市之身毒。"《史记正义》以为邛即邛山，在西汉邛都县（今四川西昌东南）境；《汉书补注》以为邛乃西汉严道县之邛来山（在今四川荥经西南）。虎溪：晋慧远法师居庐山东林寺，其处有流泉绕寺，下入于溪，远每送客过溪，辄有虎号鸣，因名虎溪。后送客未尝过，独陶渊明、陆修静至，语道契合，不觉过溪，因相与大笑。见《莲社高贤传》。

③山响：山谷回音。归房：回山院。

【赏析】

这首诗写昙兴上人迎客的情况，进而描写诗人所见之景。前人评价此诗"此景此意，只在目前。人不道着，幽邃可想。后半幽邃之景，宛然清雅"。开头两句写昙兴上人迎候诗人等，用"虎溪"的典故，将昙兴上人比作高僧慧远，而诗人则以陶渊明自况。"催客"句意思是，时已薄暮，走在前面的人呼叫尚在中途的人。"归房"句是写诗人一行随着水流上进山寺。颈联写路上所见之景，写鸟的一声鸣叫，更加反衬出山谷的幽静。尾联"空林"的意象，不仅是诗人对原生自然的直观感受，同时也是诗人心灵的真实写照。诗中的“空林”衍化成自然万物，体验到禅宗的“空”，也就能体味至高无上的艺术境界。

郑果州相过①

丽日照残春，初晴草木新。
床前磨镜客，树下灌园人②。
五马惊穷巷，双童逐老身③。
中厨办粗饭，当恕阮家贫④。

【注释】

①郑果州：果州刺史郑某，事迹不详。果州，唐州名，天宝元年（742）改名南充郡，治所在今四川南充北。

②磨镜客：指负局先生，相传为三国时吴国神医。《列仙传》：“负局先生者，不知何许人也，语似燕、代间人。常负磨镜局徇吴市中，炫磨镜一钱。因磨之，辄问主人，得无有疾苦者，辄出紫丸药以与之，得者莫不愈。如此数十年。后大疫病，家至户到，与药，活者万计，不取一钱，吴人乃知其真人也。”

③庾信诗：“五马遥相问，双童来夹车。”按，古者太守五马。

④中厨：内厨房。《晋书·阮籍传》：“阮咸与籍居道南。诸阮居道北；北阮富而南阮贫。”

【赏析】

果州刺史郑某来拜访诗人，诗人写下了此诗。首联写暮春新晴的景色，表现了一种天然去雕饰的清新自然之美。颔联“磨镜客”表明诗人的闲散生活，有如负局先生者相往来，而以陈仲子灌园自况。颈联写刺史来访时的景象，“穷巷”是自谦之语，同时又表明所居之处的简陋，传达出诗人隐居避世的情怀。尾联进一步写招待的粗陋和自己的贫困。整首诗在不断表明自己贫陋的同时，也将一位不贪图富贵、甘于恬淡生活的隐者形象展现在读者的面前。

过香积寺①

不知香积寺，数里入云峰。
古木无人径，深山何处钟。
泉声咽危石，月色冷青松②。
薄暮空潭曲，安禅制毒龙③。

【注释】

①香积寺：在今陕西长安县神禾原上。（见《陕西通志》）

②此句意谓泉水在危石间流过，发出呜咽之声。孔稚珪《北山移文》：“风云凄其带愤，石泉咽而下怆，望林峦而有失，顾草木而如丧。”

③安禅：身心安然入于禅定。毒龙：佛家比喻邪念妄想。《涅槃经》：“但我住处有一毒龙，其性暴急，恐相危害。”

【赏析】

这是诗人前往探访香积寺所写下的诗篇。全诗以“不知”二字开头，表明自己一开始并不知山中有寺，待到登山深入云峰之中，进入到古木参天、人迹罕至的地方，忽然听到钟声，才知道有寺庙在此。前四句一气呵成，将读者的心思带入到诗人的行迹中去，写法确实高妙。颈联中“咽”字写出了山溪流水的幽咽，更衬托出山中物象之静。“月色冷青松”，借本属形容触觉的“冷”字，表现对日色的视觉，这是一种通感的表现手法，表现了诗人对山中清幽景致的独特感受。整首诗歌写寺却不言寺，而寺在其中，烘托有致，表现了作者高超的艺术表现力。

留别丘为①

归鞍白云外，缭绕出前山。
今日又明日，自知心不闲。
亲劳簪组送，欲趁莺花还②。
一步一回首，迟迟向近关。

【注释】

① 丘为：盛唐诗人，嘉兴人。初屡试不第，归山读书数年。天宝二年（743）进

士及第。历任主客郎中、司勋郎中，迁太子右庶子。年逾八十以左散骑常侍致仕。年九十六卒。事见《新唐书·艺文志》《唐才子传》等。

②簪组：古代官吏之服饰。借指达官显贵。

【赏析】

这首诗原题当是《留别》，丘为作，在王维《送丘为往唐州》一首之后，本以同咏附载集中，因连书不断，误认四字俱是诗题，因此错误地被认为是王维所作。《全唐诗》中作丘为诗，题目叫做《留别王维》。此诗先写归途中的情形，次写近几日定会与友人告别而心中不安稳，接着写对友人送别表示谢意，最后写对朋友的依依难舍之情。前人评价此诗“只似白话，实经百炼”。因此诗非王维所写，故赏析从略。

送崔九兴宗游蜀[1]

送君从此去，转觉故人稀。
徒御犹回首，田园方掩扉[2]。
出门当旅食，中路授寒衣[3]。
江汉风流地，游人何岁归[4]？

【注释】

①崔兴宗：王维内弟，行九，曾长期隐居。

②徒御，《诗·小雅·车攻》：“徒御不惊。”孔颖达疏：“徒行挽辇者与车上御马者。”此指随行之人。田园：此指兴宗隐居之地。

③旅食：因作客而寄食他乡。此句意谓途中天将变冷。《诗·豳风·七月》：“九月授衣。”

④江汉：江即长江，汉疑指西汉水。嘉陵江古又称西汉水。《元和郡县志》卷三三：“西汉水一名嘉陵水，经县理南，去县一里。”风流地：谓美好、特出之地。游人：指崔兴宗。

【赏析】

这是一首送别崔兴宗去蜀地游玩的诗。首联写送崔兴宗去后心中的惆怅失落，一个“转”字，将诗人内心的寂寞、失落的情绪充分表现出来。颔联写远行者与送行人双方都依依不舍，随行之人犹频频回首，天色已晚，故园中也将要掩上柴扉了。颈联虚写，表达了诗人对友人深深的挂念，出门在外，免不了寄食他乡，途中气候将变冷，要记得穿上冬衣。语言质朴亲切，读来感人。尾联“何岁归”三字发问，意谓蜀地是风流繁华的场所，好友恐怕会留恋那里，不知道何时才能归来。实际上，诗人是在提醒崔君：他乡虽好，也不要贪恋，故乡中还有老友盼你归来。整首诗写得风流蕴藉，表达了对朋友深深的思念之情。

送梓州李使君①

万壑树参天，千山响杜鹃②。
山中一夜雨，树杪百重泉③。
汉女输橦布，巴人讼芋田④。
文翁翻教授，不敢倚先贤⑤。

【注释】

①梓州：唐州名，治所在今四川三台。李使君：或谓李璆（qiú），或谓李叔明，均曾任梓州刺史。未详。

②杜鹃：又名子规，传说为古蜀帝杜宇死后所化。

③杪（miǎo）：树梢。

④汉女：汉水边女子。汉指西汉水，即嘉陵江。橦（tóng）布：橦花所织布。《文选·蜀都赋》："布有橦华，面有桄榔。"刘渊林注："橦华者，树名橦，其花柔毳（cuì），可绩为布也。出永昌。"巴：古国名，故都在今重庆。芋田：蜀中产芋，当时为主粮之一。此句谓巴蜀人多为芋田打官司。

⑤文翁：庐江舒人也。为蜀郡守，仁爱好教化。见蜀地僻陋有蛮夷风，文翁欲诱进之。由是大化蜀地，学于京师者，比齐鲁焉。（见《汉书》本传）

【赏析】

这是一首送友人去四川梓州做官的赠别诗。首联互文见义，写得极有气势，既有视觉形象，又有听觉感受，将蜀地高峻的群山、深幽的岩壑、参天的林木展现在读者面前。颔联"树杪百重泉"意思是，四川地区多夜雨，次日雨歇，数百道飞泉自山头乱泻，远远望去，似都悬于树梢之上，表现出雨势之大、蜀山之高峻。颈联写蜀中风俗民情。尾联用文翁治蜀的典故，勉励李使君不能依赖文翁教化的遗泽而有所懈怠，而是要努力做出政绩。诗中表现的情绪积极开朗，格调高远，是送别佳作。

送友人南归

万里春应尽，三江雁亦稀①。
连天汉水广，孤客郢城归②。
郧国稻苗秀，楚人菰米肥③。
悬知倚门望，遥识老莱衣④。

【注释】

①三江：在岳州府（今岳阳）城下；岷江（长江）为西江，澧江为中江，湘江为南江，皆会于此，故名。亦名三江口。

②郢城：春秋时楚国国都，故址在今湖北荆州。

③郧国：古国名，在今湖北安陆一带，春秋时为楚国所灭。菰米：菰菜生于陂泽，结实如米，可以为饭，谓之菰米，亦曰雕胡米。

④悬知：料想，预知。老莱衣：意为孝顺子孙，借指友人。春秋时楚之贤人老莱子，性至孝。行年七十，作婴儿戏，着五彩衣，以娱其亲。

【赏析】

友人将从长安返回故乡楚地，诗人写了此诗送别。前四句写友人归乡的季节和沿途景色。“万里春应尽”，诗人之友从长安去到楚地，路途遥远，从长安出发尚值暮春时节，到了楚地，时节就该变换到了夏天了，形容路途之遥远。“孤客”二字，写出友人旅途的孤单寂寞，描摹出旅途萧条凄苦的情状，表现出作者对友人深切的关怀。颈联写楚地的物产，“秀”“肥”二字，表明楚地物产的富饶，同时也体现出诗人对友人故乡的赞美。尾联设想友人老母倚门盼望游子归来的情景，真挚动人，富有艺术感染力。

送丘为落第归江东①

怜君不得意，况复柳条春。
为客黄金尽，还家白发新②。
五湖三亩宅，万里一归人③。
知祢不能荐，羞为献纳臣④。

【注释】

①丘为：见《留别丘为》注①。江东：吴越一带，丘为家在越地。

②为客：作客他乡。黄金尽：《战国策·秦策一》：“（苏秦）说秦王，书十上而说不行，黑貂之裘弊，黄金百斤尽。”

③ 五湖：说法不一。此当指太湖流域一带。丘为故乡在此。三亩宅：《淮南子·原道训》："故任一人之能，不足以治三亩之宅也。"后以"三亩宅"指栖身之地。此指丘为之家。

④ 祢(mí)：指祢衡。《后汉书·祢衡传》："祢衡，字正平……少有才辩，而气尚刚傲……唯善鲁国孔融与弘农杨修……融亦深爱其才。衡始弱冠，而融年四十，遂与为交友。上疏荐之。"此以祢衡喻丘为。献纳臣：指谏官，即补阙、拾遗等。献纳，进言以供采纳。《旧唐书·职官志》："补阙、拾遗之职，掌供奉讽谏，扈从乘舆。凡发令举事，有不便于时，不合于道，大则廷议，小则上封。若贤良之遗滞于下，忠孝之不闻于上，则条其事状而荐言之。"谏官也有荐贤之职责。

【赏析】

这首诗送别对象为一位落第的友人，字里行间透露出诗人对他深切的安慰之情。首联"况复"二字，将"不得意"递进一层，丘为落第时节，正为桃红柳绿的春天，对着满目春光，不免触景伤情。颔联化用苏秦的典故，描写丘为困顿长安，盘缠耗尽的窘况，又暗喻他将来终究有飞黄腾达之时。颈联是虚写，描写丘为孤独还乡的景况。"三亩宅"，是指家里也有微薄的田产，但生计窘迫。"万里一归人"是说归乡路途遥远，旅途孤单寂寞，体现了诗人对丘为的关心与怜惜之情。尾联"献纳臣"指诗人自己，而将祢衡比作丘为，愧叹自己帮不上朋友什么忙，不能像孔融那样将祢衡举荐给朝廷。字里行间流露出对朝廷不吸纳贤才的不满，以及对朋友深深的愧疚之情。

汉江临眺①

楚塞三湘接，荆门九派通②。
江流天地外，山色有无中。
郡邑浮前浦，波澜动远空③。
襄阳好风日，留醉与山翁④。

【注释】

①汉江：即汉水。临眺：登高远望。一作作“临泛”。

②楚塞：襄阳一带的汉水流域，因在楚之北境，故称之。三湘：说法不一。古诗文中多泛指今洞庭湖南北、湘江流域一带。荆门：山名，见《寄荆州张丞相》注①。九派：即《尚书·禹贡》所云九江。《文选》郭璞《江赋》：“源二分于崌崍，流九派乎浔阳。”李善注：“水别流为派。”关于九江，后人有多种不同解释。《经典释文》引《晋太康地记》：“九江，刘歆以为湖汉九水入彭蠡泽（今鄱阳湖）也。”

③郡邑：指襄阳。浦：水滨。

④山翁：指晋山简，竹林七贤之一山涛之子。曾持节镇襄阳。《晋书·山涛传》载：时四方寇乱，天下分崩，“简优游卒岁，惟酒是耽”。荆地豪族习氏有佳园池，“简每出嬉游，多之池上，置酒辄醉，名之曰高阳池”。时有儿歌曰：“山公出何许，往至高阳池。日夕倒载归，酩酊无所知。时时能骑马，倒著白接篱。举鞭问葛疆：何如并州儿？”

【赏析】

这是一首描绘汉江周围壮丽景色的名作。诗人临江远眺，从大处着笔，气势恢弘。首联形容江汉平原既容纳了从南方奔流而来的三湘之水，汉江入荆江而与长江九派汇聚合流的浩渺水势。颔联先写滚滚江水最后与天地相接，展现了一幅水天一色的图画，接着写群山迷迷蒙蒙、时隐时现的情态，以苍茫山色烘托出江势的浩瀚空阔。颈联“浮”字，将江水浩荡，襄阳城郭仿佛在江上浮动的气势生动地写出，“动”字又将惊涛拍岸、浊浪滔天的气势展现在读者眼前。同时，诗人泛舟江上怡然自得的心态也从中表现了出来。尾联写诗人要与山简共谋一醉，直抒胸臆，流露出对襄阳风物的热爱之情，表达了诗人对山水的留恋。

凉州郊外游望①

野老才三户，边村少四邻。
婆娑依里社，箫鼓赛田神②。
洒酒浇刍狗，焚香拜木人③。
女巫纷屡舞，罗袜自生尘④。

【注释】

①凉州：河西节度使治所，在今甘肃武威。

②婆娑：盘旋舞动貌。里社：乡里祭祀土地神之祠。箫鼓：吹箫击鼓。赛：祈福于神而后以祭祀来报答称“赛”。

③刍（chú）狗：祭祀所用草扎狗。刍，草。《淮南子·齐俗训》高诱注：“刍狗，束刍为狗，以谢过求福。”木人：木制神像，即田神。

④纷：形容舞者盛多。屡：谓舞蹈次数多。罗袜：曹植《洛神赋》：“凌波微步，罗袜生尘。”

【赏析】

此诗描写凉州郊外农民秋收后祭祀田神的欢乐场景。首联写边地村庄人烟稀少，纵然田户稀少，人口不多，但农民们同样富有生活情趣。后几联描写乡民们的种种祭神活动，婆娑起舞、吹箫打鼓、酒浇刍狗、焚香拜神，以及女巫们纷舞不已等场景，写出了边境农村庆祝丰收的热闹场景，表达了诗人与民同乐的情感以及对乡村生活真挚的热爱。这首诗恰似一幅生动的乡村生活风俗画，向我们展现出一千多年前我国西北边塞农村的人文景观，具有浓厚的民俗文化情调。

观猎

风劲角弓鸣，将军猎渭城①。
草枯鹰眼疾，雪尽马蹄轻②。
忽过新丰市，还归细柳营③。
回看射雕处，千里暮云平④。

【注释】

①角弓：以角饰弓也。《诗·小雅·角弓》：“骍骍角弓。”渭城：在长安

西北渭水之阳。

②疾：目光敏锐。

③新丰市：古地名，其地盛产美酒。在今西安临潼东北。细柳：在长安西北。汉河内太守周亚夫为将军，置营于此。

④射雕，《北齐书·斛律光传》："尝从世宗于洹桥校猎，见一大鸟，云表飞飏，光引弓射之，正中其颈。此鸟形如车轮，旋转而下，至地，乃大雕也。世宗取而观之，深壮异焉。丞相属邢子高见而叹曰：'此射雕手也。'"后以射雕赞将军英勇。

【赏析】

这是一首描绘军中射猎活动的诗。首联点"观猎"之题，以"风劲角弓鸣"开头，起句突兀，使读者未见其人，先闻其声，给读者留下强烈的听觉感受，描绘出打猎之前的紧张氛围。颔联写狩猎的场面。由于草枯，便觉得鹰眼更为锐利；由于雪化尽，马奔驰时便少沾滞，更觉轻快。这是避实就虚之笔，从鹰与马两处稍作点染，便将将军身手之矫健、兴致之高昂、获猎之丰富写得呼之欲出。颈联写将军行猎归来。新丰是产美酒的地方，此处暗示猎手们兴致高昂，回来饮酒作乐。"细柳营"又借周亚夫的典故，表明将军是治军严格的良将。尾联以景结情，韵味无穷。在归途中回头一望，只见原来射猎之处，暮云平铺，一望无际，境界开阔雄浑，气势阔大，表现了作者乐观奋发的进取精神。

泛前陂[①]

秋空自明迥，况复远人间[②]。
畅以沙际鹤，兼之云外山[③]。
澄波澹将夕，清月皓方闲[④]。
此夜任孤棹，夷犹殊未还[⑤]。

【注释】

①陂（bēi）：池塘。
②迥：高远。
③畅：舒畅。以：因。
④澹：水摇荡。皓：洁白，明亮。闲：闲静。
⑤任孤棹：谓任凭孤舟在水中飘荡。夷犹：犹豫，徘徊。殊：犹。

【赏析】

这是一首诗人在池上荡舟玩赏秋景的诗。首联点明时节，“远人间”三字，表明诗人所处前陂的人迹罕至，是隐者的乐境。颔联在写景之余，表明自己的心情因沙际白鹤的娴静和云外青山的澹远而变得舒畅。“以”“之”虚字的运用，增添了迤逦之概。颈联写一片清空澄明之景，表现出诗人内心的恬淡和超脱，呈现出一种物我交融的境界。尾联道出了诗人流连光景之际，时间和自我意识的消失，表现了禅宗永恒的无时间性。这种悟性，正是在随缘率性的日常生活与山水自然中参透的。

游李山人所居因题屋壁[①]

世上皆如梦，狂来或自歌。
问年松树老，有地竹林多[②]。
药倩韩康卖，门容向子过[③]。
翻嫌枕席上，无那白云何[④]！

【注释】

①李山人：未详。山人，山居者，指隐士。

②问年：问山人之年岁。

③倩：借助，仗他人帮忙。韩康：东汉霸陵人，字伯休，卖药长安市，口不二价。后遁入霸陵山中。向子：后汉向子平有道术，为县功曹，休归，自入山担薪卖以供饮食。

④无那：无奈。

【赏析】

这是诗人游览一位李姓隐士所居之处，题在其屋壁上的一首诗。开篇“世上皆如梦”，体现了佛教世间事物有如梦幻泡影的空观思想，“狂来或自歌”，表明李山人已经悟透佛教万事皆空思想的狂喜状态。颔联写所居之处的环境，松和竹体现了李山人高洁的情操。颈联用典，写与李山人来往的都是像韩康、向长这样的高士隐者，进而衬托出李山人隐居避世、恬淡超脱的隐士形象。尾联是说山居幽深，白云时来枕上，是何等怡悦之事，但诗人偏要说

“嫌”，正所谓“嫌”即是“不嫌”，写出了隐者悠闲恬淡的生活趣味。

登河北城楼作①

井邑傅岩上，客亭云雾间②。
高城眺落日，极浦映苍山③。
岸火孤舟宿，渔家夕鸟还。
寂寥天地暮，心与广川闲④。

【注释】

①河北：唐县名，属陕州，在今山西平陆。

②井邑：市井，邑里。傅岩：古地名，又作傅险，相传为商代傅说版筑之处。在唐河北县（今山西芮城）北。客亭：供旅客止息之所。

③极浦：遥远水边。

④广川：指黄河。河北县临黄河。

【赏析】

这是一首登楼远眺、写景抒怀之作。首联写诗人登上城楼，极目而视的略景，城邑中的房屋和官府的亭驿都尽收眼底。颔联写站在高高的城楼上眺望落日的景象，遥远的水面上映着青山的倒影，用白描的手法写出了所见景物之壮阔。颈联仍是写景，“宿”为静景，“还”为动景，此联写景动静结合，以动衬静，表现了水面闲静安详的景象。尾联又从写景回到抒情，写诗人的心绪也像那宽广的河水一般闲适。整首诗视角在高高的城楼之上，描写有丰富的画面之感，动静结合，空阔远大，而不失有人间烟火之味。

登裴迪秀才小台作①

端居不出户，满目望云山②。
落日鸟边下，秋原人外闲③。
遥知远林际，不见此檐间。
好客多乘月，应门莫上关④。

【注释】

①裴迪：见《赠裴十迪》注①。

②端居：平居，犹言平时、平素。

③人外：世外。《后汉书·陈宠传》："屏居人外，荆棘生门。"闲：静。

④乘月：趁月光明亮出外闲游。关：门闩。庾肩吾《南苑看人还诗》："洛桥初度烛，青门欲上关。"

【赏析】

这首诗赞赏友人裴迪家中小台的妙处。首联总起，写足不出户，便能在这小台上望见满目的云山，既写出了小台的妙用，又写出了裴迪所居环境的清幽秀丽。颔联写在小台上所见之景，用最直接的意象语言，表达心中的直觉表象，没有任何修辞技巧，将所见之景呈现于读者眼前。此即禅家“现量”的知觉经验，强调对体性的一触即觉，王维的诗句最能体现这样的特点。颈联设想新奇，意谓从远处我家所在树林那边，想是望不见这小台的。尾联以“莫上关”作结，兴味悠长，既表现了裴迪的殷勤好客，又表现了夜晚游性正浓，闲适恬静的山林隐居生活的情趣。

千塔主人①

逆旅逢佳节，征帆未可前②。
窗临汴河水，门渡楚人船③。
鸡犬散墟落，桑榆荫远田④。
所居人不见，枕席生云烟⑤。

【注释】

①千塔主人：未详所指。

②逆旅：旅舍。

③汴河：即通济渠东段。在今河南荥阳至开封一带。唐宋人统称通济渠东段全流为汴水、汴河或汴渠。楚人船：汴河为南北水运干道，多楚地南来之船，故云。

④墟落：村落。

⑤所居：指千塔主人居住的地方。

【赏析】

“千塔主人”疑是僧人，诗人所居可能为僧舍。首联总起，写逆旅的途中遇到了过节，于是诗人乘坐的船只暂停了行驶。颔联写暂居之处的景物，“临”字写出了所居正在汴河岸边，而“渡”字写出了汴河上船来船往的热闹非凡的景象。颈联写附近的田园景致。“散”字是动态的景物描绘，而“荫”字则是静态的景物描绘，二句动静结合，构成了一幅生机勃勃的乡村日常景物画面，白描写来，美感十足。尾联的意思是，所访问的主人不在，屋中枕席上似有云烟升起，盛赞了居处的幽雅绝尘，超然物外，令人回味无穷。

使至塞上①

单车欲问边，属国过居延②。
征蓬出汉塞，归雁入胡天③。
大漠孤烟直，长河落日圆④。
萧关逢候骑，都护在燕然⑤。

【注释】

①使：出使。

②单车：一辆车，车辆少，形容此次出使随从不多。问边：慰问边塞官兵。属国：即典属国。汉代称负责外交事务之官员为典属国，此为王维自指。居延：地名，汉代称居延泽，唐代称居延海，在今内蒙古额济纳旗北境。又西汉张掖郡有居延县，故城在今额济纳旗东南。又东汉凉州刺史部有张掖居延属国，辖境在居延泽一带。

③征蓬：随风飘飞之蓬草，此为诗人自喻。归雁：春天大雁北飞，故称“归雁”，亦为诗人自喻。

④大漠：当指凉州以北沙漠。孤烟：赵殿成注有二解：一云古代边防报警时燃狼粪，“其烟直而聚，虽风吹之不散”；二云塞外多旋风，“袅烟沙而直上”。长河：黄河。

⑤萧关：古关名，故址在今宁夏固原东南。候骑：负责侦察、通讯之骑兵。都护：官名。唐朝在西北置安西、安北等都护府，每府派大都护一人，副都护二人，负责辖区一切事务。燕然：古山名，在今蒙古国。此代指前线。《后汉书·窦宪传》：宪率军大破单于，“遂登燕然山……刻石勒功，纪汉威德，令班固作铭”。

【赏析】

这是王维边塞诗的代表作，诗人奉旨前往凉州劳军，将沿途的塞外风光和感受写成此诗。首联交代行程和任务，轻车简从去慰问边境的将士，途经居延。颔联写边地的景色。蓬草飞舞，飞出了汉家边塞；大雁归飞，划破胡地的天空。实则以“蓬”和“雁”自喻，并写出了边塞带给人心灵的孤寂苍凉之感。颈联是写景的千古名句。极目大漠，只见一线孤烟冲霄而上；遥望长河，只见一轮落日在河面浮动。点线面的巧妙配合，构成了苍莽辽阔的边塞画面，壮观入神。前人评“直、圆二字极锤炼，亦极自然”。尾联笔锋一转，用“燕然山”的典故来表现边塞战争的胜利，写得含蓄蕴藉。整首诗画面开阔，意境雄浑，写出了西北边塞风光的壮美，表达了诗人对边塞风光的赞叹以及对盛唐国力的自豪之情。

秋夜独坐

独坐悲双鬓，空堂欲二更。
雨中山果落，灯下草虫鸣。
白发终难变，黄金不可成①。
欲知除老病，惟有学无生②。

【注释】

①《列仙传》卷下载，稷丘君朱璜入浮阳山八十余年，“白发尽黑”。此句反用此典。江淹《从建平王游纪南城》：“丹沙信难学，黄金不可成。”世传丹砂（又作丹沙，即朱砂）可化为黄金。《史记·孝武本纪》：“致物而丹砂可化为黄金，黄金成，以为饮食器则益寿，益寿而海中蓬莱仙者可见，见之以封禅则不死。”

②老病：佛教称生、老、病、死为四苦。《释迦谱》卷二：“以畏老病生死之苦，故于五欲不敢爱著。”无生：佛家语，谓世本虚幻，万物无生无灭。

【赏析】

这首诗是诗人晚年隐居辋川时所作。首联总起，写诗人独自坐着，悲叹年事已高，来日无多，就这样坐到快二更天了。颔联写山中夜雨之景，“落”字和“鸣”字，透露出自然界的生命气息，这些声响衬托出寂静的境界，寓景于情，表达出诗人内心的清幽孤寂。颈联、尾联，写像道教徒那样寻求长生终究是虚无缥缈之事，解除老病的痛苦还要靠修习佛法，清除七情六欲，修成不灭之身。诗的前半篇表现诗人沉思悲哀的神情和意境，形象生动，感觉敏锐，而后半篇纯属说教，未免使人生厌。

待储光羲不至①

重门朝已启，起坐听车声。

要欲闻清佩，方将出户迎②。

晚钟鸣上苑，疏雨过春城③。

了自不相顾，临堂空复情④。

【注释】

①储光羲：唐代田园山水派代表诗人之一。润州延陵（今江苏金坛）人。与王维友好。

②要欲：好像。闻清佩：听到客人佩玉之清脆响声。

③上苑：天子之园囿。

④了自：已然，竟自。顾：探望。此句意谓，回到堂上，自己仍对友人心怀期待之情。

【赏析】

这首诗很细腻地写出了诗人等待友人不至的情景。首联写层层的清门早已打开，等待友人的到来，站起来听是否是友人来到的车马声。“起坐”二字，传达出诗人等待友人时的急切心理。颔联的意思是，好像听到了友人身上玉佩的清脆响声，正要出门迎接，方知原来是自己听错了。心理描写细腻传神，表现了诗人对友人期待之殷切。颈联写景，却并非泛泛而写，意思是天色已晚，又下起了雨，友人恐怕不会再来看望自己了。尾联又更深化一层，写诗人自己也顾不得友人不会来了，而沉浸在对友人的深切期盼之中。一个“空”字，写尽了诗人对友人执著的感情。

听宫莺

春树绕宫墙，宫莺啭曙光。
忽惊啼暂断，移处弄还长。
隐叶栖承露，攀花出未央[①]。
游人未应返，为此思故乡[②]。

【注释】

①承露：承露盘，汉武帝好神仙，在长安建章宫作承露盘以承甘露，以为服食之可以延年。《汉书·郊祀志上》："其后又作柏梁、铜柱、承露、仙人掌之属矣。"颜师古注引《三辅故事》："建章宫承露盘，高二十丈，大七围，以铜为之，上有仙人擞承露，和玉屑饮之。"未央：西汉宫殿名。位于今西安西北。汉高祖七年（前200）在秦章台基础上修建，惠帝即位后，始成为皇家主要宫殿。

②未应：不曾。

【赏析】

这是诗人听皇宫里的流莺啼鸣有感而写的一首诗。首联点明时令地点，在一个春天的清晨，黄莺在皇宫中婉转啼鸣。颔联描摹流莺啼鸣的情态，"哢"也是鸟吟之意，将流莺时断时续，悠远绵长的啼鸣之态生动地呈现出来。颈联写啼莺的动态，隐藏在树叶掩映的承露盘上，轻盈地掠过花朵，从未央宫飞出。"承露""未央"都是汉代的建筑名，用来指代唐代的皇宫。尾联二句，才是全诗的主旨所在，借流莺啼鸣的描写，抒发游子思乡之情。整首诗托物抒情，感情真挚动人。

愚公谷三首[①]

愚谷与谁去？唯将黎子同[②]。

非须一处住，不那两心空③。

宁问春将夏，谁论西复东。

不知吾与子，若个是愚公④？

【注释】

①愚公谷：在今山东淄博。汉刘向《说苑·政理》：齐桓公出猎，逐鹿而走入山谷之中，见一老公而问之曰："是为何谷？"对曰："为愚公之谷。"桓公曰："何故？"对曰："以臣名之。"桓公曰："今视公之仪状，非愚人也，何为以公名？"对曰："臣请陈之，臣故畜牸（zì，雌性牲畜）牛，生子而大，卖之而买驹。少年曰：'牛不能生马。'遂持驹去。傍邻闻之，以臣为愚，故名此谷为愚公之谷。"后以"愚公谷"泛指隐居之地。

②原注：青龙寺与黎昕戏题。将：与。

③不那：无奈。两心空：作者与黎昕两人心皆空寂。

④若个：哪个。

【赏析】

这三首诗，诗题下原有"青龙寺与黎昕戏题"八字，诗中"黎子"即是指黎昕。诗中又借"愚公谷"的典故指代隐退、与人无争之地。首联表达了与黎昕一起归隐的愿望。颔联的意思是，我与黎昕并非一定要住在一起，无奈两人都内心空寂，志同道合，所以才一同归隐。"非须""不那"二词，表明诗人归隐的决心，以及与黎昕志同道合的精神状态。颈联"将"字与"复"字互文，既写到了时间的交替，又写到了空间的变换，表明诗人内心空寂的境界，已经将时间与空间的变换置之度外了。尾联反问，意在表明，诗人和黎昕皆为悟得禅理的高人。

吾家愚谷里，此谷本来平。
虽则行无迹，还能响应声①。
不随云色暗，只待日光明。
缘底名愚谷？都由愚所成。

【注释】

①行无迹：《庄子·外篇·天地》："是故行而无迹，事而无传。"响应声：指前因后果。管仲《管子·法》："然故下之事上也，如响之应声也；臣之事主也，如影之从形也。"响，回声。

【赏析】

"本来平"的意思是，佛教说万法皆空，空性即平等性，因此谷本来平。颔联的意思是，我居住在愚谷中，虽然是行迹无踪，不为世人所知，却还有黎昕你这样的知音之人。颈联两句是写谷底之平，不随着云色的加重而变暗，有日光也未必能够变得明亮。实际上，这二句是隐喻修习禅定时心灵所达到的清澄明澈的境界。最后两句的意思是，愚谷因愚公而得名，只要真正做到"愚"，所居之地即成愚谷。通首诗表达了诗人心无妄念、随缘任用的佛教观和达到清澈澄明境界的禅定理想。

借问愚公谷，与君聊一寻。
不寻翻到谷，此谷不离心①。
行处曾无险，看时岂有深？
寄言尘世客，何处欲归临？

【注释】

①翻：反而。此句意谓只要心愚，所居之地即是愚谷。

【赏析】

首联写寻找愚公谷。颔联的意思是说，愚公谷本在心中，修心可以达到“愚”的境界，这样的话，不去寻找愚公谷，反而已经到谷里了。《维摩诘经》说：“随其心净，则佛土净。”即是此意。颈联的意思是，这个愚谷不深不险，亦即到处可得，并不是幽深险峻之境才有的。佛教的义理，清净心无分别，因此无深浅的区别。尾联发问，意思是尘世上的人还欲归临何处？也就是说，将自己本心参透，即可成佛，不必再去寻找别的途径了。整首诗弥漫着浓厚的佛教义理的味道。

沈十四拾遗新竹生读经处同诸公之作①

闲居日清静，修竹自檀栾②。

嫩节留余箨，新丛出旧阑[③]。
细枝风响乱，疏影月光寒。
乐府裁龙笛，渔家伐钓竿[④]。
何如道门里，青翠拂仙坛？

【注释】

①沈十四拾遗：未详。

②檀栾：竹美貌。枚乘《菟园赋》："修竹檀乐夹池水。"

③箨（tuò）：竹笋皮壳。

④乐府：掌管音乐之官署。龙笛：乐器名。唐虞世南《琵琶赋》："凤箫辍吹，龙笛韬吟。"

【赏析】

这是一首咏竹的诗，描写了新生竹的形象。开头写诗人清静悠闲的生活，一出门便看到美好而修长的竹林。三至六句描摹新竹，嫩竹的节子长出来后，留下一层层的笋箨，新的竹子长成林，越过了原来的栏杆。"乱"字和"寒"字将竹林的丛生茂密与幽深静寂的景象展现在读者面前。七、八两句写竹子的用途，皇宫里的乐人将它制作成皇帝使用的笛子，渔人将它砍下制作成钓竿。尾句意思更进一层，这些用途的竹子，哪能和道门里的相提并论呢？它们轻拂着仙坛。这种清净自如的境界，正是诗人所向往的，也是整首诗的诗旨所在。

田家

旧谷行将尽，良苗未可希①。
老年方爱粥，卒岁且无衣②。
雀乳青苔井，鸡鸣白板扉③。
柴车驾羸牸，草屩牧豪豨④。
多雨红榴折，新秋绿芋肥。
饷田桑下憩，旁舍草中归⑤。
住处名愚谷，何烦问是非！

【注释】

①希：希望。

②卒岁：终岁，度过一年。《诗·豳风·七月》："无衣无褐，何以卒岁？"

③雀乳：晋傅玄《杂诗三首》其三："鹊巢丘城侧，雀乳空井中。"《说文》："人及鸟生子曰乳。"

④柴车：简陋之车子。《韩诗外传》："驽马柴车，可得而乘。"羸（léi）：瘦弱。牸（zì）：母牛。草屩（juē）：草鞋。豨（xī）：野猪，大猪。

⑤饷田：往田间送饭食。旁：通"傍"，依着。

【赏析】

这是一首描绘田园生活的诗。前四句写农村贫穷困苦、缺衣少食的状况。五至十二句描绘田园景物和风光，选取了几个典型场景，如鸟雀在满是青苔的井边孵卵，公鸡在白板做的门边啼叫，鄙陋的车上驾着瘦羸的母牛，穿着草鞋的农人正在放牧肥壮的猪群，下着雨，红石榴花凋残了，秋天到了，绿油油的芋头长得肥硕，送饭的人在桑树下休息，邻人从草径中归家。将贫寒但平淡的农家生活写得极其风雅，又饱含生活趣味。尾句是说，这里是愚公居住的地方，不必由人来动问人间的是非，表现了作者的隐逸情怀。

济州过赵叟家宴①

虽与人境接，闭门成隐居。
道言庄叟事，儒行鲁人余②。
深巷斜晖静，闲门高柳疏。
荷锄修药圃，散帙曝农书③。
上客摇芳翰，中厨馈野蔬④。
夫君第高饮，景晏出林闾⑤。

【注释】

①济州：今山东济宁。赵叟：未详。

②庄叟：即庄子。《周书·萧大圜传》："沽酪牧羊，协潘生之志；畜鸡种黍，应庄叟之言。"

③散帙（zhì）：打开书套。曝（pù）：晒。

④上客：犹贵客。摇芳翰：动笔作诗文。馈：进献，进食于人。

⑤夫君：友人。第：只管。景晏：傍晚。林闾：乡野里门。

【赏析】

这是诗人参加赵叟家的宴会所作的一首诗。首句总起，提及赵叟的隐者风范。三至八句写赵叟隐者的形象和隐居生活。“道言”二句意思是，赵叟言论虽然不外乎谈《庄子》，然而他的行为却是一位儒者的样子，有鲁人的遗风。“深巷”二句，通过对赵叟家附近景物的描写，表现人物洁净清高的品格。“荷锄”二句，写赵叟闲适高洁的隐居生活，“修药圃”、“曝农书”，表明主人公平时无非就是种药学农，一派田园隐者的形象。最后四句，是赵叟对诗人所说的话，请您动笔写下诗文，厨房里已经准备好了乡野的食物。请您尽情畅饮，天晚再离开。表现了主人的热情好客与潇洒旷达的情操。

青龙寺昙璧上人兄院集并序[1]

吾兄大开荫中，明彻物外[2]。以定力胜敌，以惠用解严[3]。深居僧坊，傍俯人里[4]。高原陆地，下映芙蓉之池；竹林果园，中秀菩提之树[5]。八极氛霁，万汇尘息[6]。太虚寥廓，南山为之端倪[7]；皇州苍茫，渭水贯于天地[8]。经行之后，趺坐而闲[9]。升堂梵筵，饵客香饭[10]。不起而游览，不风而清凉。得世界于莲花，记文章于贝叶[11]。时江宁大兄持片石命维序之[12]，诗五韵，座上成。

高处敞招提，虚空讵有倪[13]。

坐看南陌骑，下听秦城鸡。

眇眇孤烟起，芊芊远树齐⑭。

青山万井外，落日五陵西⑮。

眼界今无染，心空安可迷⑯？

【注释】

①青龙寺：在今西安。《长安志》卷九："南门之东，青龙寺，本隋灵感寺，开皇二年（582）立。"昙璧上人：未详。

②吾兄：指昙璧上人。大开：解脱。荫：佛家语，指声色等又为法能荫覆真性。彻：通，达。

③定力：由禅定而达到一种力量。惠：通"慧"，指佛教智慧，即般若。解严：本兵家语，意指息兵、解除戒备。此喻通过"慧"达到涅槃之境。

④僧坊：佛寺。傍：近。

⑤秀：秀异，茂盛。菩提：树名，相传佛教创始人释迦牟尼在树下悟道，遂得名菩提树。"菩提"一词是Bodhi音译，意为"觉"，"道"等。

⑥八极：八方偏远之地。氛霁（jì）：云消雾散。万汇：万类。

⑦太虚：天。南山：终南山。端倪：边际，涯际。

⑧皇州：帝都。

⑨趺（fū）坐：即跏（jiā）趺坐，又称结跏趺坐，互交二足，右脚盘放于左腿上，左脚盘放于右腿上。佛家以其为取道之方。《大智度论》卷七："诸坐法中，结跏趺坐最安稳，不疲极，此是坐禅人坐法，摄此手足，心亦不散。又于一切四种身仪中最安稳，此是禅坐取道法坐，魔王见之，其心忧怖。"

⑩梵筵：做佛事之道场，或寺中设筵。饵：给人吃东西。

⑪莲花：佛教之象征。贝叶：罗树之叶。古印度人多用贝叶抄写佛教经文，称贝叶经。

⑫江宁大兄：即王昌龄。字少伯，京兆万年（即长安）人。盛唐著名诗人。

⑬招提：梵语，本作"拓提"，指寺院。讵：岂。倪：边际。

⑭芊芊（qiān）：草木茂盛貌。

⑮五陵：因西汉王朝在此建五座皇陵而得名。在今咸阳附近。

⑯染：污染。佛教谓世俗欲求、妄念为“染”，能扰乱众生之身心，使不得解脱。心空：心入空境。

【赏析】

这是诗人参加寺庙集会时写的一首诗。首联总起，写集会的寺庙在山的高处，从寺庙往下看，一片虚空。此处“虚空”又暗示着佛经中常说的性空，即万物无造作、无主宰、无实体的本性。三至八句，为在寺庙中所见之景。以“坐”字总起，“坐”使人的心情处于清澈明净的状态，能够以清澄明澈的心怀体味世间万象。“青山”二句，写出了壮丽辽阔的都城景象，“落日五陵”，带有历史的厚重与沧桑感。尾句直接将性空之理运用于山水关照，“心生则种种法生，心灭则种种法灭”，与前文“虚空”恰成对照。

晓行巴峡[①]

际晓投巴峡，余春忆帝京[②]。

晴江一女浣，朝日众鸡鸣。

水国舟中市，山桥树杪行[③]。

登高万井出，眺迥二流明[④]。

人作殊方语，莺为旧国声[⑤]。

赖多山水趣，稍解别离情。

【注释】

①巴峡：长江自巴县（今重庆）至涪州（今涪陵）一段多山峡，有黄葛峡、明月峡、鸡鸣峡、铜锣峡、石洞峡、黄草峡等，这些山峡因在古巴县或巴郡境内，故统称巴峡。

②际晓：天刚亮。际，适当其时。余春：暮春。

③水国：临水城邑。市：做买卖。山桥：山岩间木构栈道。

④井：市井，城邑中住户。眺迥：望远。二流：其一为长江，另一当指在巴峡一带入江之河流。

⑤殊方：异乡。旧国：故乡。

【赏析】

这是一首写暮春早晨诗人游历巴峡所见所闻的诗。第三至六句写眼前所见之景。“晴江”二句写的是巴峡地区风土人情之美，带有浓厚的田园风情，表现了作者对田园生活的向往之情。“水国”二句，前人评论“写得峡江栈道景物如睹”，带有浓厚的中国画的意味，融中国画“移远就近”的画法入诗。“人作”一联写诗人的听觉，写人语已和家乡的口音不同，而莺声还是一样，字里行间透露出思念故土的情感。尾联诗人话锋一转，写多亏有了这秀丽的山水风光，才使我的思乡之情得到了排遣，表现了诗人对自然风光的热爱和旷达的胸襟。

过沈居士山居哭之[①]

杨朱来此哭，桑扈返于真[②]。
独自成千古，依然旧四邻。
闲檐喧鸟鹊，故榻满埃尘。
曙月孤莺啭，空山五柳春[③]。
野花愁对客，泉水咽迎人。
善卷明时隐，黔娄在日贫[④]。
逝川嗟尔命，丘井叹吾身[⑤]。
前后徒言隔，相悲讵几晨[⑥]？

【注释】

①沈居士：未详。

②杨朱：字子居，战国初期道家学派思想家。此作者自比杨朱。桑扈：即子桑户。《庄子·大宗师》："子桑户、孟子反、子琴张相与友……莫然有间，而子桑户死。未葬。孔子闻之，使子贡往侍事焉。或编曲，或鼓琴，相和而歌曰：嗟来桑户乎！嗟来桑户乎！而已反其真，而我犹为人猗！"此以桑扈喻沈居士。

③五柳：陶渊明号五柳先生。此处指沈居士住所。

④善卷，《高士传》："善卷者，古之贤人也。尧闻得道，乃北面师之，及尧受终之后，舜又以天下让卷，卷曰：'……吾何以天下为哉？悲夫子之不知余也！'遂不受，去入深山，莫知其终。"黔娄，《列女传》："鲁黔娄先生死，曾子与门人往吊之，哭之曰：'嗟乎！先生之终也，何以为谥？'其妻曰：'以"康"为谥。'曾子曰：'先生在时，食不充口，衣不盖形；死则手足不敛，劳无酒肉，生不得其美，死不得其荣，何乐于此而谥为"康"乎？'其妻曰：'彼先生者，甘天下之淡味，安天下之卑位；不戚戚于贫贱，不忻忻于富贵；求仁而得仁，求

义而得义——其谥为“康”，不亦宜乎？’”

⑤逝川：逝去之流水。《论语·子罕》：“子在川上曰：逝者如斯夫！不舍昼夜。”丘井：空井，枯井。佛家常以喻老而不堪复用之身。《维摩经·方便品》：“是身如丘井，为老所逼。”

⑥此句意谓，还能为沈居士伤悲几日？指自己亦不久于人世。

【赏析】

这是一首挽诗。首二句交代沈居士的离世和诗人来此凭吊。“返于真”是用《庄子》里对于死亡的说法，多少表现了诗人对死亡的达观与超越的态度。第二联“独自”与“依然”形成鲜明对比，表现了诗人对沈居士逝世的哀惋与叹息之情。五至十句写景，使声音、形象具有和谐的情调和统一的表现力，渲染了悲伤哀愁的气氛，表现了诗人对友人逝世的无限哀伤之情。第十一、十二句，将古代的贤人善卷、黔娄比作沈居士，体现了沈居士高尚的隐者情操。最后四句，诗人又讲到了自己，哀叹自己时日无多，使整首诗的感情越发沉重。

酌酒与裴迪

酌酒与君君自宽，人情翻覆似波澜。
白首相知犹按剑，朱门先达笑弹冠[①]。
草色全经细雨湿，花枝欲动春风寒。

世事浮云何足问，不如高卧且加餐②。

【注释】

①按剑：手按剑柄，表示准备争斗。先达：先显达之人。晋庾亮《让中书监表》："十余年间，位超先达。"弹冠：弹去帽上灰尘，准备出仕。《汉书·王吉传》："王阳在位，贡公弹冠。"颜师古注："弹冠者，言入仕也。"

②何足问：不值得过问。

【赏析】

开头二句便显示出诗人对时世的激愤之情与劝慰朋友自我排遣之意，安慰裴迪要"心自宽"，人世间的反复无常正如波澜一样。三、四两句便写出人世的险恶。白头之交，尚有因利害冲突而拔剑相向的；先做上高官的人，窃笑弹冠相庆望其引援之人。两句写尽了世间的人情反复之态。五、六两句写物态，却有着浓郁的象征意味。"草色"比喻小人得意，"细雨湿"比喻君子的恩泽；而"花枝"是君子的象征，"春风寒"又比喻小人之阴邪。这二句写出小人得志，而君子遭排挤的世态。最后两句，诗人希望抛弃俗世，过上逍遥快意的生活，表现了诗人旷达超迈的胸襟。

辋川别业

不到东山向一年，归来才及种春田[①]。
雨中草色绿堪染，水上桃花红欲然[②]。
优娄比丘经论学，伛偻丈人乡里贤[③]，
披衣倒屣且相见，相欢语笑衡门前[④]。

【注释】

①东山：东晋谢安隐居之地，后因以泛指隐者所居之地。此借指辋川别业。

②然：即“燃”。梁元帝《宫殿名诗》：“林间花欲然，竹径露初圆。”

③优娄比丘：指佛教僧人。优娄，优楼频螺伽叶之略称，释迦牟尼弟子。比丘，梵文音译，指出家后受过具足戒之男僧。经论：佛教典籍分经、律、论三部分，谓之三藏。经为佛所自说，论是经之解释，律则记佛教戒规。伛偻(yǔ lǚ)：驼背。丈人：老人。《庄子·达生》：“仲尼适楚，出于林中。见伛偻者承蜩，犹掇之也。仲尼曰：‘子巧乎！有道邪？’曰：‘我有道也’。孔子顾谓弟子曰：‘用志不分，乃凝于神。其伛偻丈人之谓乎！”

④倒屣：倒穿鞋子，喻迎客时急迫心情。《三国志·魏志·王粲传》：“(蔡邕)闻粲在门，倒屣迎之。”

【赏析】

这首诗写诗人返回自己的隐居之处辋川别业的欣喜之情。开头二句总起，写辋川别来已经一年，正是春天耕种的日子，我得以归来。诗人再次归来的喜悦之情充溢于字里行间。三、四句写辋川的美景，“绿堪染”“红欲然”，将植物色彩的动态与春天万物复苏的场景展现在读者眼前，清新鲜润，富有艺术感染力。最后四句写辋川中的人情之美，诗人将要交往的是精通佛学的高僧和隐居得道的贤人。“相欢语笑”四字，将诗人内心对隐居生活的向往和喜悦之情表现得淋漓尽致。

早秋山中作

无才不敢累明时，思向东溪守故篱①。
岂厌尚平婚嫁早，却嫌陶令去官迟②。
草间蛩响临秋急，山里蝉声薄暮悲③。
寂寞柴门人不到，空林独与白云期④。

【注释】

①累：牵累，妨碍。明时：政治清明之时。东溪：嵩山东峰太室山有东溪，见《水经注·颍水》。此指隐居地。故篱：犹言故园，故居。

②尚平：即尚长，又作向长，字子平，诗文中多称作“尚平”或“向平”。《后汉书·逸民列传》：“向长，字子平，河内朝歌人也。隐居不仕……建武中，男女嫁娶既毕，敕断家事勿相关，‘当如我死也。’于是遂肆意与同好北海禽庆俱游五岳名山，竟不知所终。”陶令：陶渊明。义熙元年（405）八月，陶渊明为彭泽令，“岁终，会郡遣督邮至县，吏请曰：‘应束带见之。’渊明叹曰：‘我岂能为五斗米折腰向乡里小儿！’即日解绶去职”。（萧统《陶渊明传》）

③蛩（qióng）：蟋蟀。薄暮：傍晚。

④期：约会。

【赏析】

前四句，表达了诗人急切的归隐愿望。“无才”是诗人自谦之语，自己没有才能，不敢辜负圣明的时代，字里行间多少透露着反讽的意味，隐约传达出诗人对朝政的不满。又用尚平和陶渊明的两个典故，一“岂厌”，一“却嫌”，明白地表达了作者厌弃官场，归隐山林的愿望和决心。颈联写秋天山中的景致，渲染出萧瑟的气氛和诗人寂寞沉郁的心情。尾联写空林无人，自己独与白云作伴。自由舒卷的白云也是诗人心境的象征，洁白无瑕，无拘无束，悠闲自在。

积雨辋川庄作

积雨空林烟火迟，蒸藜炊黍饷东菑[①]。
漠漠水田飞白鹭，阴阴夏木啭黄鹂。
山中习静观朝槿，松下清斋折露葵[②]。
野老与人争席罢，海鸥何事更相疑[③]！

【注释】

①烟火迟：谓久雨后烟火之燃徐缓。藜：草本植物，嫩叶可食。饷东菑（zī）：往田里送饭。菑，开垦一年之田地。此泛指田亩。

②习静：静修，犹静坐、坐禅。朝槿（jǐn）：即木槿，落叶灌木，仲夏始

花，朝开午萎，故称朝槿。清斋：谓素食。露葵：蔬菜名。《文选》曹植《七启》："芳菰精粺，霜蓄露葵。"

③争席：争座位。表示彼此融洽无间，不拘礼节。《庄子·寓言》："其往也，舍者迎将其家，公执席，妻执巾栉，舍者避席，炀者避灶。其反也，舍者与之争席矣。"郭象注："去其夸矜故也。"成玄英疏："除其容饰，遣其矜夸，混迹同尘，和光顺俗，于是舍息之人与争席而坐矣。"海鸥：《列子·黄帝篇》："海上之人有好沤（同鸥）鸟者，每旦之海上，从沤鸟游，沤鸟之至者，百住而不止。其父曰：'吾闻沤鸟皆从汝游，汝取来吾玩之。'明日之海上，沤鸟舞而不下也。故曰，至言去言，至为无为。齐智之所知，则浅矣。"

【赏析】

这首诗描写了辋川久雨初晴后的景象，表达了诗人怡然自乐的隐居之情。前两句描绘出辋川雨天的山林景色和炊烟之态，展现了早炊、耕田的农家生活。三、四句写动态之景，"漠漠"展现了水田广布的苍茫景象，"阴阴"形容夏天树林的茂密幽深。五、六句写诗人的隐居生活，槿花朝开暮落，"观朝槿"即是诗人体验人生的无常。诗人从禅房中走出来，把自然作为息心静虑的对象，习禅的关照与审美的关照合而为一。尾联写自己已经机心尽去，与农夫野老打成一片，赞美山中民风之淳朴，表达了诗人对闲适无虑的隐居生活的无限热爱。此诗情真意切，神致全出，是王维山林田园诗中的佳作之一。

过乘如禅师萧居士嵩丘兰若[①]

无著天亲弟与兄，嵩丘兰若一峰晴[②]。
食随鸣磬巢乌下，行踏空林落叶声[③]。
迸水定侵香案湿，雨花应共石床平[④]。
深洞长松何所有？俨然天竺古先生[⑤]。

【注释】

①乘如禅师：《宋高僧传》卷一五："释乘如，未详氏族，精研律部，颇善讲宣。"萧居士：未详，或谓乘如之兄弟。居士，在家奉佛修道之人。嵩丘：嵩山。兰若：梵语"阿兰若"之略称，泛指佛寺。

②无著、天亲：皆菩萨名。《大唐西域记》卷五："无著菩萨，健驮逻国人也，佛去世后一千年中，诞灵利见，承风悟道，从弥沙塞部出家修学，顷之回信大乘。其弟世亲菩萨于说一切有部出家受业，博闻强识，达学研几。"世亲即天亲，与其兄无著同为古印度大乘佛教瑜珈行派理论体系之主要建立者。此以无著、天亲喻乘如禅师、萧居士。

③磬（qìng）：佛寺中念经时所用一种打击乐器，钵状，以铜铁铸成，亦可敲响集合寺众。

④迸水：泉水涌出。《高僧传》卷六《慧远传》载：慧远至庐山，"始住龙泉精舍，此处去水大远，远乃以杖扣地曰：'若此中可得栖立，当使朽壤抽泉。'言毕，清流涌出，后卒成溪"。香案：佛寺放置香炉之桌子。雨花：《妙法莲华经·序品》："佛说此经已，结跏趺坐，入于无量义处三昧，身心不动，是时天雨曼陀罗华……而散佛上及诸大众。"

⑤天竺：古印度别称。古先生：道教称老子西至天竺为佛，号古先生。《西升经》卷一："老子西升，开道竺乾。号古先生。"竺乾即天竺。

【赏析】

首句把乘如和萧居士两人比作无著、天亲二位菩萨，表明二人在佛学方面具有很深的造诣。第二句“晴”字有两重含义，第一是说日光晴朗明丽，第二层含义是说有乘如、萧居士在此，山峰也因此光明起来，同样表现了诗人对他二人的敬佩与赞扬。三至六句展现乘如和萧居士的禅修生活。“食随”两句，写出的人与物浑忘的境界，因此巢鸟下食。“迸水”两句用慧远的故事，写禅师、居士的法力之高，以及所居环境的清幽。最后两句，是说乘如、萧居士二人宛若天竺的佛菩萨，赞美叹羡之意溢于纸上。

春日与裴迪过新昌里访吕逸人不遇①

桃源一向绝风尘，柳市南头访隐沦②。
到门不敢题凡鸟，看竹何须问主人③。
城外青山如屋里，东家流水入西邻。
闭门著书多岁月，种松皆作老龙鳞④。

【注释】

①新昌里：长安里坊名。见《长安志》卷九。吕逸人：未详。逸人，隐逸

之士。

②桃源：以陶渊明所写“桃源”借指吕逸人隐居处。绝风尘：无世俗纷扰。柳市：汉长安集市名。《汉书·游侠传》：“萬章，字子夏，长安人也……章在城西柳市，号曰城西萬子夏。”此或借指唐长安东市。新昌坊在东市东南，故云“柳市南头”。隐沦：隐者。

③题凡鸟，《世说新语·简傲》：“嵇康与吕安善，每一相思，千里命驾。安后来，直康不在，喜（康兄）出户延之，不入，题门上作凤字而去。喜不觉，犹以为欣。故作鳳字，凡鸟也。”看竹：见《晚春严少尹与诸公见过》注③。

④老龙鳞：老松表皮斑驳，犹如龙鳞。

【赏析】

诗人与好友裴迪一道拜访一位吕姓隐士，不巧未遇，于是赋诗以记。首句以“桃源”借指吕逸人隐居之地，写出了吕逸人的超俗的气节，表现了诗人的歆慕之情。第三句反用吕安的典故，表达了诗人对吕逸人的敬仰之情。第四局用王徽之看竹的典故，表示即使没有遇见主人，看看他幽雅的居住环境，为下文的风景描写作了铺垫。“城外”句，生动地点明吕逸人所居之地出门见山，是个清幽之地，隔绝于尘世。“东家”句，写居所附近流水淙淙，环境秀美，是个隐居的绝好场所。最后两句，从正面写吕逸人的隐居生活，写吕逸人闭户著书，手种松树皆已老，表现其人隐居时间已久，隐居之志的坚贞。

送杨少府贬郴州[1]

明到衡山与洞庭，若为秋月听猿声[2]。
愁看北渚三湘近，恶说南风五两轻[3]。
青草瘴时过夏口，白头浪里出湓城[4]。
长沙不久留才子，贾谊何须吊屈平[5]！

【注释】

①杨少府：未详。郴州：唐州名，今属湖南。

②若为：怎堪。

③北渚，《楚辞》："帝子降兮北渚。"按《水经注》："冯水带约众流，浑成一川，谓之北渚。"渚：水中小块陆地。三湘：说法不一。古诗文多泛指今洞庭湖南北、湘江流域一带。五两：以鸡羽为之，重五两，系于樯尾以候风者。郭璞赋："占五两之动静。"五两轻：指风大。

④青草瘴，《广州》记："地多瘴气；夏曰青草瘴。"湓（pén）城：县名，本晋时柴桑之湓口城，唐改为浔阳，在今江西九江。

⑤《汉书·贾谊传》："天子议以谊任公卿之位，绛灌、东阳侯冯敬之属尽害之……以谊为长沙王太傅。谊既以适去，意不自得。及渡湘水，为赋以吊屈原。"屈平：屈原名也。

【赏析】

这是杨少府将要离开京城赴任郴州之时，诗人的赠别诗。首联是诗人想象杨少府所贬谪之地的荒凉凄苦，猿猴啼叫声凄苦，以此衬托出贬谪之地的肃杀气氛，表现了人物内心的悲凉。颔联写出杨少府渴望北归的微妙心理。他看到三湘地区的景色便觉忧愁，而当可以扬帆北归的南风很大时，他就会感到难过。前四句主要写被贬之地的荒凉与杨少府心情的悲伤郁结。颈联的意思是说，预计明年春天瘴起，水涨之时，你就可以自湘水乘船过夏口，经湓城而北归了。这是诗人宽慰之词，即杨少府不久就会被朝廷重新重用。于是，尾联用贾谊的典故，意谓杨少府不必像贾谊那样久处潇湘，凭吊屈原，朝廷定会重新起用的。用意忠厚，意味深长。

听百舌鸟①

上兰门外草萋萋，未央宫中花里栖②。
亦有相随过御苑，不知若个向金堤③。
入春解作千般语，拂曙能先百鸟啼。
万户千门应觉晓，建章何必听鸣鸡④。

【注释】

①百舌鸟：学名乌鸫（dōng）。《淮南子·时则训》高注："反舌，百舌鸟也，能辨反其舌，变易其声，以效百鸟之鸣，故谓百舌。"

②上兰：观名，在上林苑中，故址在今西安长安区。

③金堤：言水之堤塘坚如金也。司马相如《子虚赋》："婴姗勃窣上金堤。"

④建章：西汉宫名，在未央宫西，长安城外。

【赏析】

这是诗人听百舌鸟鸣叫写的一首诗歌。首联“上兰”和“未央”都是汉代宫观的名称，用来指代唐代的宫殿。颔联写鸟的情态，“相随”写出了小鸟互相追逐嬉戏的场景，展现了长安宫中春天的生意盎然。颈联写鸟鸣。百舌鸟即乌鸫，善于鸣叫，其声圆滑而多变化，传说它能学百鸟的啼鸣声，故谓之“百舌鸟”。“千般语”三字，恰如其分地展现了百舌鸟善于啼鸣的特点和叫声的变化多样。“拂曙”句，是写百舌鸟啼叫的时间在清晨，比别的鸟儿叫得都早，为尾联作出铺垫。尾联“建章”亦是汉宫殿的名称，用来指代唐代的宫殿。写百舌鸟啼叫得早，听它们啼鸣，人们就已经知道清晨已经到来。整首诗写出了鸟儿的轻快活泼，表达了诗人对自然的热爱之情。

出塞作①

居延城外猎天骄，白草连天野火烧②。
暮云空碛时驱马，秋日平原好射雕③。
护羌校尉朝乘障，破虏将军夜渡辽④。
玉靶角弓珠勒马，汉家将赐霍嫖姚⑤。

【注释】

①题下原注:“时为御史,监察塞上作。”御史即监察御史。唐御史台置掌内外纠察及监诸军并出使等事。

②居延城:见《使至塞上》注。天骄:指匈奴。白草:西域所产牧草。《汉书·西域传》颜师古注:“白草,似莠而细,无芒,其干熟时正白色,牛马所嗜也。”

③碛(qì):沙漠。

④护羌校尉:汉武官名。清孙星衍辑应劭《汉官仪》卷上:“护羌校尉,武帝置,秩比二千石,持节以护西羌。”乘障:登上城堡御敌。破虏将军:汉武官名。据《三国志·吴志·孙坚传》,孙坚曾为破虏将军。渡辽:汉昭帝时辽东乌桓反,以范明友为度辽将军率兵击之。《汉书·昭帝纪》颜注:“应劭曰:‘当度辽水往击之。故以度辽为官号。’”

⑤玉靶:有玉饰之马辔。角弓:饰以兽角之良弓。珠勒马:配有珠勒之骏马。霍嫖姚:西汉名将霍去病,曾任嫖姚校尉。事见《汉书·霍去病传》。

【赏析】

这是诗人出使塞上时作的一首诗。前四句描写吐蕃秋日校猎的情状,他们经常会以校猎的名义在秋日草黄马肥之时侵犯唐的边境,大肆掠夺。“驱马”“射雕”,即是以形象的语言写他们的进犯之事。第五、六句,“护羌校尉”和“破虏将军”都是汉代的武官名,此处借指唐代守卫边疆的将领,这两句是写唐朝将士守卫边疆,反击敌人之事。最后两句,又用汉代名将霍去病指代时任河西节度副使的崔希逸,说其破敌有功,朝廷将赐予很多贵重的东西。全诗通过敌我双方的对比描写，表现出边境将士不畏强敌的英雄气概和奋发昂扬的精神面貌，展现出一种悲壮的豪情，雄浑阔大，气势磅礴。

辋川集并序[①]

余别业在辋川山谷，其游止[②]有孟城坳、华子冈、文杏馆、斤竹岭、鹿柴、木兰柴、茱萸沜、宫槐陌、临湖亭、南垞、欹湖、柳浪、栾家濑、金屑泉、白石滩、北垞、竹里馆、辛夷坞、漆园、椒园等，与裴迪闲暇各赋绝句云尔。

【注释】

①辋川：王维别业所在地。在陕西蓝田县南辋谷内。《长安志》卷一六："辋谷在（蓝田）县南二十里。"辋谷为一峡谷，长二十余华里，多数地段宽约二百至五百米，成西北、东南走向。谷中有辋水，又称辋谷水。王维辋川别业地处辋谷南端，原为宋之问蓝田别墅。《辋川集》为王维与裴迪歌咏辋川之五绝诗集。

②游止：游憩之地。

孟城坳[①]

新家孟城口，古木余衰柳。
来者复为谁？空悲昔人有。

【注释】

①孟城坳：即孟城口，辋川景点之一。原为一处古关城，据传乃南朝宋武帝刘裕征关中时所筑思乡城。坳，山间平地。

【赏析】

这首诗的意思是，我刚刚搬到孟城口来居住，这里的古树只剩下几株衰朽的柳树。将来拥有这片别业的，不知道是谁了，将来的人看现在，就像我看前代的人一样。这首诗包含着的哲思，实际上就是佛教的“无常”“无我”的观念，现实世界的一切都处于迁流不居的变化之中，人与一切有情众生，都没有一个常住不变的自我。此诗通过对过去、现在、未来的思考，将佛理巧妙地融入小诗中，含蓄隽永，耐人寻味。

华子冈①

飞鸟去不穷，连山复秋色。

上下华子冈，惆怅情何极！

【注释】

①华子冈：据王维《辋川图》知华子冈乃辋川山谷中段一座山峰，属自然景观。

【赏析】

前二句写华子冈的景色。“不穷”“连”“复”三词，展现了无限开阔杳远的境界。飞鸟飞去无踪迹，这种意境是超绝的、寂灭的，是自然空性的直观。《华严经》中说：“了知诸法寂灭，如鸟飞空无有迹。”是“无常”的形象化，表现了寂灭无常的佛理。后二句抒发诗人自身的情感。“上下”与“惆怅”相对应，使读者看到诗人徘徊于无尽的秋山之中。空间的无穷无尽，引发了诗人无限的惆怅之情，对人世无常的感慨，全包含在“情何极”三字之中。前人评价此诗“调古性高，幽深有味”，确是笃论。

文杏馆①

文杏裁为梁，香茅结为宇②。

不知栋里云，去作人间雨③。

【注释】

①文杏馆：辋川山谷南段山间亭子。

②文杏：杏树之一种，材质名贵。司马相如《长门赋》：“刻木兰以为榱（cuī）兮，饰文杏以为梁。”香茅：又名菁茅，生湖南及江淮间，叶有三脊，气味芬芳。宇：屋檐。此指屋顶。

③此二句写文杏馆之高大。郭璞《游仙诗七首》其二：“青溪千余仞，中有一道士。云生梁栋间，风出窗户里。”

【赏析】

前二句写文杏馆的建造材料，文杏材质名贵，气味芬芳，突出文杏馆的精美芳洁，象征诗人内心高洁美好的品质。今日文杏馆旧址前，依然生长着传为王维手种的一株银杏，苍劲挺拔。后二句写文杏馆处地高峻，栋里的云飞到人间，化而为雨，景色虚旷，为馆舍增添了神秘飘逸的气氛，仿佛人间仙境。在这人间仙境里悠闲自在生活的诗人和他的友人裴迪，显然感到精神上的满足。这些描写，也显现出诗人洁身自好、悠闲恬静、物我合一的精神境界。

斤竹岭①

檀栾映空曲，青翠漾涟漪②。

暗入商山路，樵人不可知③。

【注释】

①斤竹岭：辋川山谷南段邻近文杏馆之山岭。《重修辋川志》卷二："斤竹岭，一名金竹岭，其竹叶如斧斤，故名。"斤竹，或为当地所产一种竹子。

②檀栾：秀美貌，诗文中多用以形容竹。汉枚乘《梁王菟园赋》："修竹檀栾，夹池水，旋菟园，并驰道。"《文选》左思《吴都赋》："其竹则……檀栾婵娟。"空曲：空阔偏僻之处。涟漪：水波纹。

③商山：山名，在今陕西商洛东南。

【赏析】

这首诗写斤竹岭上的竹林景色。首句静态描绘竹林之姿，次句动态描绘竹林之色。"映"字与"漾"字一静一动，表现了竹林勃发旺盛的生机，营造出一个清幽僻静的意境。后两句描写竹林的远景，展现出无限延伸、幽深莫测的景致。诗人纵目远眺，竹林绵延无穷，一直向商山延展，一片翠色苍茫难辨，连长年在此的樵夫也不知道它究竟有多么深远。“商山”是秦末汉初商山四皓的避世隐居之地，这小路具有一种象征意味，含蓄地表达了诗人对隐居生活的向往和对俗世生活的厌倦。

鹿柴①

空山不见人，但闻人语响。

返景入深林，复照青苔上②。

【注释】

①鹿柴（zhài）：辋川景点之一。柴，通“寨”“砦”，即栅栏、篱障。

②返景（yǐng）：落日之回光。《初学记》卷一：“日西落，光反射于东，谓之返景。”

【赏析】

首二句以动衬静，以若隐若现的人语声反衬空山的幽寂。后二句以有衬无，以青苔上的一束反照，显示出深林的空阔寂寥。写空山深林，偏从有声有色处着笔，愈加衬托出其幽静虚空。诗人追求的是自我心灵与自然山水之间的互化，当大自然中清幽寂静的山水成为他空寂心境的写照时，他便在自然境界中发现了自我。静寂中的空山，便成为诗人心境的象征。《金刚般若经》云“凡所有相，皆是虚妄”，恰恰表达了这首诗所寄托的含义。

木兰柴[①]

秋山敛余照，飞鸟逐前侣。

彩翠时分明，夕岚无处所[②]。

【注释】

①木兰柴：即木兰寨。木兰，落叶乔木，叶子互生，花大，有红、黄、白、紫多种。据《辋川图》，木兰柴与斤竹岭相邻，山坡上有木兰树，其周围有栅栏。

②夕岚：黄昏时山间雾气。无处所：指雾气消散。宋玉《高唐赋》："风止雨霁，云无处所。"

【赏析】

这首诗描绘了一幅绚烂明丽的秋山夕照图。前人云其"写霎时所见，备极变幻"。前二句写夕阳洒在秋山上，落日余晖逐渐消退，归林的鸟儿相逐而飞。后二句写秋山在夕阳将落、余晖欲敛时的刹那之景，橙黄色的阳光返照秋山，山头彩翠之色随着雾气的飘荡变幻而时隐时现。整首诗在审美上产生一种闪动明灭、迷离恍惚之美，借大自然使人感受和领悟某种人生境界。自然界呈现的各种现象，都是瞬息变幻的，体现出事物都是刹那生灭、无常无我、虚幻不实的深深禅意。

茱萸沜[①]

结实红且绿，复如花更开[②]。

山中倘留客，置此茱萸杯③。

【注释】

①茱萸沜：当是景点水边植有茱萸，故名。茱萸（zhū yú），常绿带香乔木，果实可入药。沜（pàn），同“畔”，岸边，水涯。

②结实红且绿：茱萸分山茱萸、吴茱萸、食茱萸三种，山茱萸花黄色，果实长椭圆形，枣红色；吴茱萸花绿黄色，果实小，红色；食茱萸花淡绿黄色，果实球形，成熟时呈红色。

③茱萸杯：酒中浸茱萸果实以待客。古有置茱萸于酒中而食之习俗。《太平御览》卷三二引《齐人月令》曰：“重阳之日……酒必采茱萸、甘菊以泛之，既醉而还。”

【赏析】

前二句写茱萸结实后的可爱、明艳的姿态与景象。茱萸结果呈红色，鲜丽可爱，掩映在茱萸苍翠的树叶中间，宛如开花一般。秋天的山野，看到这红红的果实，诗人不禁发出“复如花更开”的赞叹，表现了诗人寄身花草自然的愉悦心情和对自然风物的无限热爱。后二句是虚写，想到用茱萸酒待客的情形。写得豁达闲适，字里行间透露着诗人对闲暇安适、自得其乐的隐居生活的无限满足之感，又表达了他想寻觅知己，与人同乐，共同追求世外隐居生活的理想。

宫槐陌[①]

仄径荫宫槐，幽阴多绿苔[②]。

应门但迎扫，畏有山僧来[③]。

【注释】

①宫槐：槐树之一种，又名守宫槐，其叶昼合夜开。据《周礼》，周代宫廷多植此树。陌：乡间小路。裴迪同咏曰："门前宫槐陌，是向欹湖道。"知宫槐陌乃一条路旁植宫槐通向欹湖之小路。

②仄：狭窄。荫宫槐：为宫槐所遮蔽。

③应门：看门人。迎扫：扫仄径以迎客。

【赏析】

宫槐陌是通往欹湖的道路。前二句的意思是说，狭窄的小路被宫槐所遮蔽，幽暗的树阴中长满了绿苔。显然，这条小路平常很少有人光顾，表现了诗人隐居生活的孤寂与幽静，仿佛是诗人宁静枯寂的内心世界的象征。后二句的意思是，守候门户的人只管打扫小径以备迎客，恐怕有山里的僧人要来拜访了。"畏"是恐怕的意思，此处含蓄地表达了诗人对山僧来访的期待之意。整首诗的格调是清幽冷僻的，在清幽阴冷之际，又给人以对客人来访的一份期待与盼望之情，盼望僧人与他共参佛法，表现诗人对同道之人的热忱期待，和对佛法的向往之情。

临湖亭[1]

轻舸迎上客，悠悠湖上来[2]。

当轩对樽酒，四面芙蓉开[3]。

【注释】

①临湖亭：欹湖上一座亭子。
②舸（gě）：船。上客：贵客。
③当轩：临窗。芙蓉：荷花。

【赏析】

整首诗明白如话，写出了诗人与友人泛舟湖上，至临湖亭中，当轩而坐，把酒临风，开怀畅饮，亭在湖中，四面荷花开得正盛，香气随风而来。整首诗都是虚写，没有一个字提及亭子本身，而写的是轻舟登亭，临窗畅饮，以及湖面盛开的荷花，正绝妙地虚映出临湖亭的美好。整首诗洋溢着与友人相会的欢乐气氛，传达出诗人隐居生活的闲适以及对自然风光的无限热爱，读来令人神往。前人亦评价此诗"澹适乃尔，意兴极玄"。

南垞[1]

轻舟南垞去，北垞淼难即[2]。

隔浦望人家，遥遥不相识[3]。

【注释】

①南垞（chá）：辋川一临湖小丘，在欹湖南岸。垞，小丘。
②淼（miǎo）：水势浩大貌。即：靠近。
③浦：岸边，河滩。

【赏析】

此诗是诗人在舟中所作，写水窗闲眺的情景。前人评价此诗“摹写玄妙，不容更添一物”，“写得渺漫，如在目前”。题为“南垞”，却从对面落笔，写北垞的三五人家，隔浦相望，表现了欹湖的烟波浩渺，而隔岸遥望，北垞之人家掩映于波光林霭之间，可望而不可及。使人从虚实照应之中，去想象南垞的优美景色，表现了诗人对隔岸人家生活的向往，使读者感觉格外兴会悠长。此诗描绘的景象恰如一幅水墨风景画，浓缩了天地自然的大美与个体精神自由的愉悦。

欹湖①

吹箫凌极浦，日暮送夫君②。
湖上一回首，山青卷白云。

【注释】

①欹（qī）湖：辋水汇积所成一天然湖泊，今已干涸。欹，倾斜。欹湖或因湖底呈倾斜状而得名。

②凌：渡过，越过。极浦：遥远之水边。夫君：友朋。

【赏析】

这首诗写在湖边送别朋友。全诗写得缥缈不凡，有凌空出世之意味，前人评价为“天下之奇作”。首句说箫声悠扬，传向遥远的水滨。第二句“夫君”是对男子的敬称，此处指诗人的友人。在夕阳的余晖之中，友人伴着箫声远去。后二句，友人乘舟，在湖面上回首望我，所见只有白云簇拥着青山而已。青山白云与湖光相辉映，道出了湖光山色之秀美。从朋友的回望来表现离情，新颖别致，境界精美。整首诗离别的情绪完全融入湖光山色之中，没有感慨与哀伤，有的只是一片物我同一的体道境界，表现了诗人心灵的空远澄静。

柳浪①

分行接绮树，倒影入清漪②。

不学御沟上，春风伤别离③。

【注释】

①柳浪：柳枝随风摆动起伏之状。辋川别业多柳，当已形成有规模之景点。

②绮（qǐ）树：犹美树，指柳。此句谓柳树分行排列，一棵接一棵。

③御沟：流经皇宫御苑之河道，或谓皇城之护城河。此二句意谓不学御沟上柳树，春日为别离而伤情。按，长安御沟多杨柳，为行人往来之地，而古又有折柳赠别之习俗，故云。王之涣《送别》：“杨柳东门树，青青夹御河。近来

攀折苦，应为别离多。”

【赏析】

此诗写湖边清秀柔美的柳色。前两句写茂美的柳树行行相接，它们的倒影投入清清涟漪，构成一幅柔和明丽的画面。寥寥数语写出柳树的繁茂清雅，传达出一派平和幽静的景象。后二句，诗人将之与京城外的柳色加以对比。“柳”与“留”谐音，自古以来就有临别赠柳的习俗，长安御沟边柳树下常是别离伤心之地，而此地柳树下却是怡然逍遥自得之人。诗人将这两处的柳树作了鲜明的对比，表现了自己所隐居之地的安然闲适。

栾家濑[①]

飒飒秋雨中，浅浅石溜泻[②]。

跳波自相溅，白鹭惊复下[③]。

【注释】

①栾家濑（lài）：当是辋水一段急流。濑，湍急之水。

②飒飒（sà）：象声词，风雨声。浅浅（jiān）：水流迅急貌。《楚辞·九歌·湘君》：“石濑兮浅浅，飞龙兮翩翩。”石溜：亦作“石留”，即石间流水。

③白鹭：又名鹭鸶，一种水鸟。

【赏析】

首句写秋雨，为下文水流之急作铺垫。第二句正面描绘栾家濑水流的状态，“浅浅”“泻”都写出了水流一泻而过的湍急的样子。正因为水流很急，自然引出水石相击、水花四溅的景观。前三句都为烘托第四句而起，白鹭受惊而飞，回翔少顷，旋复落下，以一连串的动作特写，使得幽静清冷的自然环境顿时充满了活泼的生趣，一切都是那么自在自足。诗人巧妙地运用宁中见惊，惊中见宁的表现手法，反衬出栾家濑的安宁静穆，表现了诗人隐居生活所带给内心的那种平静和闲适之感。

金屑泉①

日饮金屑泉，少当千余岁②。

翠凤翔文螭，羽节朝玉帝③。

【注释】

①金屑泉：或是辋川山谷中一天然良泉。

②少：年少，年轻。

③翠凤：翠羽装饰之凤形车驾，仙人所乘。王嘉《拾遗记》卷三：“西王母乘翠凤之辇而来。”文螭（chī）：传说中有花纹之无角龙，常为仙人拉车。羽节：饰有鸟羽之节杖，为仙人所持。玉帝：即玉皇大帝。

【赏析】

前人评价此诗：“极状泉有仙灵气，藻丽中复飘逸。”前两句写泉水的灵气，不直接描摹泉水的景状，而是说每天饮用这泉水，至少也能活到一千多岁，以夸张的手法，表现出泉水的甘甜可口，同时也说明它并非人间之物，更像是神仙饮用的了。后两句的意思是，成仙以后，乘着龙凤上天朝见玉帝，成仙便是日日饮用这金屑泉的泉水的功效。整首诗以夸张和想象的手法，道出了金屑泉泉水的仙灵之气和香醇甘甜，表现了诗人对泉水的无比赞叹和对神仙世界的向往之情。

白石滩①

清浅白石滩，绿蒲向堪把②。

家住水东西，浣纱明月下。

【注释】

①白石滩：或是辋水一处多白石之浅滩。裴迪亦有诗咏。

②蒲：草名，生于水边，有香气。向：接近，将近。堪：可以。把：手握。

【赏析】

“绿蒲向堪把”的意思是，绿蒲已经长到渐可用手握住那样粗了。“家住水东西”的意思是，住宅的东西两旁都有流水。前人评价云：“写白石滩浣纱女子，点缀以绿蒲明月，素雅绝尘。”诗人构造了一个春天夜色下少女在滩头浣纱的场景，明月、溪水、绿蒲、白石和浣纱的少女相映成趣，构成了一幅色彩明丽、意境幽美的画面。景与人融为一体，大自然充满勃勃的生趣，体现了诗人高超的艺术想象力。

北垞[①]

北垞湖水北，杂树映朱栏[②]。

逶迤南川水，明灭青林端[③]。

【注释】

①北垞：欹湖北岸一临湖小丘。

②湖：欹湖。裴迪同咏曰："南山北垞下，结宇临欹湖。"

③逶迤：绵延弯曲貌。南川：当指南来的辋水。明灭：时隐时现。端：远处，尽头。

【赏析】

作者身处北垞，向南遥望，第一句先写自己的方位，在湖水之北的岸边。"杂树映朱栏"是近景，一个"映"字，便将树丛茂盛遮蔽的状态展现出来。"青林"是中景，依稀可见，故用"青"字来形容，突出了树林的整体颜色。"南川水"是远景，忽明忽灭，呈现出一片迷离的幻境，掩映生姿，可以入画。由近及远的写法，使景物显得有深度、有层次、有画面感。诗人就从这些方面把诗情与画意融合为一，使每首诗都成为一幅引人入胜的画面。

竹里馆[①]

独坐幽篁里，弹琴复长啸[②]。

深林人不知，明月来相照。

【注释】

①竹里馆：辋川别业胜景之一，房屋周围有竹林，故名。

②篁（huáng）：竹子，竹林。《楚辞·九歌·山鬼》：“余处幽篁兮终不见天。”长啸：撮口发出长而清越之声音。

【赏析】

这首诗写出了一个极其清幽的场景。“独坐”多少带有一丝寂寞的味道，“弹琴复长啸”，啸是蹙口吹出悠长清越的音调或歌曲，是魏晋名士表达思想感情的一种方式，表现出诗人虽孤身一人，独坐幽深的竹林中，但他的心情是逍遥闲适的，表现出隐士特有的达观和傲视俗世的情怀。后两句写他弹琴长啸，声音回荡于深林之中，不为人所知，也不欲为人所知，只有天上一轮明月照临着诗人，音乐只是竹林之幽和月光之明的见证。景致与人完全融为一体，达到了物我同一的境界。

辛夷坞①

木末芙蓉花，山中发红萼②。

涧户寂无人，纷纷开且落③。

【注释】

①辛夷：一名木笔，落叶乔木，花苞形如笔头，绽开似莲，色红紫，有香气。坞（wù）：四面高中间低之凹地。此处景点当以辛夷树著称，故名辛夷坞。

②木末：树梢。辛夷花开于木末，故云。芙蓉花：即木莲花，此指辛夷花。辛夷花状如芙蓉，故云。裴迪同咏曰："况有辛夷花，色与芙蓉乱。"红萼（è）：红色花苞。萼，花瓣下部一圈绿色小片。

③涧户：涧中居室。卢照邻《羁卧山中》："涧户无人迹，山窗听鸟声。"

【赏析】

当春天来临，辛夷花在生命力的催动之下，展开红色的蓓蕾，开出绚丽的花朵。山中的红萼点缀着寂寞的涧户人家，随着春光的老去，又洒下缤纷的落英。短短四句，表现出清幽寂静的禅境。佛教的基本宗旨是解脱人世间的烦恼，证悟所达到的最高境界是"寂然界"，辛夷花自开自落，一切似乎都与人世毫不相干，平淡自然，没有生的喜悦，也没有死的悲哀。诗人的心境也与那开落的辛夷花合而为一了，忘掉了自身的存在。诗人因花悟道，真切地看到了"真如"的永恒存在，即万物的自然本性。

漆园①

古人非傲吏，自阙经世务②。

偶寄一微官，婆娑数株树③。

【注释】

①漆园：辋川胜景之一。不过此诗未必描绘漆园景物，而在通过相关典

故，表明诗人之情志。《史记·老庄申韩列传》："庄子者，蒙人也，名周。周尝为蒙漆园吏……楚威王闻庄周贤，使使厚币迎之，许以为相。庄周笑谓楚使者曰：'……子亟去，无污我。我宁游戏污渎之中自快，无为有国者所羁。终身不仕，以快吾志焉。'"

②古人：指庄子。《文选》郭璞《游仙诗七首》其一："漆园有傲吏，莱氏有逸妻。"此句反郭璞诗意，谓庄子并非傲吏。阙：缺少，缺乏。经世务：经邦济世之能力。

③寄：依。微官：指漆园吏。

【赏析】

前两句反用郭璞《游仙诗》"漆园有傲吏"的诗意。据《史记·老庄申韩列传》载，庄子曾为漆园吏，楚威王遣使聘他为相，被他拒绝。诗人在此反其意而用之，说庄子并不是傲吏，他所以不求仕进，是因为自己觉得缺少经世济国的本领。诗人显然是借古人以自喻，表白自己的隐居决无傲世之意。后二句意思是说，做一个微不足道的小官，不过是形迹之"偶寄"而已。做个漆园吏，正好可借漆园隐逸，以"婆娑数株树"为精神寄托，这样不是也很不错吗？

椒园①

桂尊迎帝子，杜若赠佳人②。

椒浆奠瑶席，欲下云中君③。

【注释】

①椒：花椒。椒园或是一处多植有花椒树之园林。

②桂尊：酒器之美称。此或指盛桂酒之尊。《汉书·礼乐志》："尊桂酒，宾八乡。"颜师古注："应劭曰：桂酒，切桂置酒中也。普灼曰：尊，大尊也。元帝时大宰丞李元记云：以水渍桂为大尊酒。"帝子：舜妃娥皇、女英，传说为尧之二女，故称帝子。舜南巡死后为湘水之神，称湘君；娥皇、女英泪洒斑竹，双双投水而死，成为湘水女神，称湘夫人。《楚辞·九歌·湘夫人》："帝子降兮北渚，目眇眇兮愁予。"杜若：香草名。《九歌·湘君》："采芳洲兮杜若，将以遗兮下女。"桂与杜若，当皆为椒园中所生之物。

③椒浆：以椒浸制之酒。《九歌·东皇太一》："蕙肴蒸兮兰藉，奠桂酒兮椒浆。"王逸注："椒浆，以椒置浆中也。"浆，薄酒。奠：置物而祭。瑶席：席之光润如玉者。下：使神下降。云中君：云神。《九歌》有《云中君》，王逸注："云神丰隆也，一曰屏翳。"

【赏析】

这首诗把椒园同《楚辞》中的香草花树、仙人美女融为一体。"桂尊"与"杜若"是芳香的美酒与熏香的香草的代称，此二句写出了诗人所居之处景物的风华赡美，象征君子与隐士高洁的品格。"帝子""佳人"也是美好的象征。"椒浆奠瑶席"，是祭祀神的活动，这里举行的祭祀活动，想要把神从天上请下来，一同享受这琼浆玉液的欢乐。整首诗富于《楚辞》浪漫主义的色彩，把诗人所居之地的民俗活动与诗人高洁的精神结合起来，表现了生活的高雅欢乐和对神仙世界的向往之情。

皇甫岳云溪杂题五首[①]

鸟鸣涧

人闲桂花落，夜静春山空。

月出惊山鸟，时鸣春涧中。

【注释】

①皇甫岳：王维朋友，生平未详。云溪：皇甫岳别业之名称或所在地。

【赏析】

在闲适的心境中，人总能敏感地察知自然界细微的变化，首句即是这个意思，在人安闲静坐之时，体察到桂花的落下。“人闲”“夜静”“山空”是从静态着手，“花落”“月出”“鸟鸣”是从动态着手，夜深人静，春山化为一片空虚，诗人处在一种幽寂的境界中，注意桂花的开落，注意山鸟的啼鸣。诗人所描写的这些声音活动，既加深了静的氛围，又非于静中不可得。动静相形，喧寂相称，静穆的关照和飞跃的生命构成艺术的两元，也是禅的心灵状态。

莲花坞

日日采莲去，洲长多暮归[①]。

弄篙莫溅水，畏湿红莲衣②。

【注释】

①洲：水中陆地。
②红莲衣：红莲花瓣。

【赏析】

此诗写少女采莲。前两句写她们日日采莲，早出暮归，平平而叙，而诗意无限，引人遐想。后两句捕捉住一个动作细节，一个姑娘撑篙溅起了一片水花，把伙伴的脸庞、头发和衣裳全都打湿，伙伴对她说道："你撑篙可不要再把水花溅起来啊，小心弄湿了这红莲的花瓣！"这两句妙传人物的声态口吻、动作神情，不仅表现了采莲少女对莲花的珍惜，更透露出她们爱美、爱生活的情趣以及天真爽朗、活泼可爱的性格。这首小诗捕捉住富有诗情画意的镜头，写得清新活泼、情趣盎然，富于浓郁的水乡生活气息，饶有南朝民歌的风致。

鸬鹚堰①

乍向红莲没，复出清浦飏②。

独立何褵褷，衔鱼古查上③。

【注释】

①鸬鹚（lú cí）：水鸟名，俗称鱼鹰。堰：挡水堤坝。

②飏（yáng）：飞扬。

③褵褷（shī）：羽毛初生时濡湿黏合貌。褵，通“离”。查：水中木筏，同“楂（chá）”，亦即“槎（chá）”。

【赏析】

这首诗描写鸬鹚在水里捕鱼的情景。首二句写鸬鹚的捕鱼动作，刚看见从这边红莲影中栽进水底，转眼间又从那边青蒲丛中飞出水面。“乍向”“复出”形容其动作的敏捷；“没”“飏”写出其身影的矫健。“红莲”“青蒲”的背景，色彩明艳，更增添了美感。后二句是鸬鹚完成捕鱼后的静态特写镜头，它羽毛湿湿的，衔着鱼独立在木筏之上。前人评价此诗“善于体物”，“非临水近观，手摹心追，不能写得如此神态毕露”。

上平田

朝耕上平田，暮耕上平田。

借问问津者，宁知沮溺贤[①]？

【注释】

①问津：询问，问路。《论语·微子》：“长沮、桀溺耦而耕，孔子过之，使子路问津焉。”沮溺：即长沮、桀溺，传说中春秋时隐士。亦泛指隐士，此喻皇甫岳。

【赏析】

上平田是皇甫岳隐居躬耕的田地名。这首诗写皇甫岳终日躬耕。首二句重复“耕上平田”四字，突出表现了皇甫岳终日耕作的勤劳形象。后二句，运用《论语》中隐士长沮、桀溺的典故，将长沮、桀溺比作皇甫岳，称赞其“贤”。并反问奔波仕途者，有谁知道避世躬耕的高尚情操。整首诗表达了诗人对皇甫岳隐居生活和他亲自参加耕作的赞美之情，并认为他是真正的隐士，有着高洁的情操，是那些奔走于名利之中的人无法企及的。前人评价此诗“语调并高”，即是这个意思。

萍池

春池深且广，会待轻舟回。

靡靡绿萍合，垂杨扫复开①。

【注释】

①靡靡：犹言迟迟。

【赏析】

这首诗写诗人池畔临水的静观之趣。春天的池水深邃广阔，诗人伫立池畔，等待着轻舟归来。水上的绿萍平铺密合，几乎覆盖了整个池面。一阵微风吹来，池边垂柳低拂水面，将绿萍轻轻扫开，开而复合。前人评价此诗“每每静意，得之偶然”，“即景点染，恐人即目失之”。诗人的心境是淡泊宁静的，经常处于一种禅观的状态，对于大自然的律动，他有一种特别敏锐的感觉。此诗就是诗人静观大自然的作品，通过细微的动态观察体验，体现了一种特别闲适的意境。

答裴迪辋口遇雨忆终南山之作[①]

淼淼寒流广，苍苍秋雨晦[②]。
君问终南山，心知白云外。

【注释】

①辋口：即辋谷口。
②苍苍：茫无边际。晦：昏暗不明。

【赏析】

这首诗是答裴迪之作，为二人回忆隐居终南山时期的生活所作。裴迪的原诗是：“积雨晦空曲，平沙灭浮彩。辋水去悠悠，南山复何在？”前二句写眼前的景色，“淼淼”“苍苍”二叠词，一形容寒冷的流水的广阔浩渺，一形容秋天山雨的茫然无际，展现了一幅水天苍茫、辽远浩渺的景色。后二句以问答作结，诗人“白云外”的回答，道尽了当时与裴迪在终南山超然闲适的生活，前人云其“不从题外求解，自有远神”，显得超然洒脱，尽显风流的意态。

山中寄诸弟妹

山中多法侣，禅诵自为群①。
城郭遥相望，唯应见白云。

【注释】

①法侣：即僧侣，僧人。禅诵：谓坐禅诵经。《陈书》：“吴郡陆庆筑室屏居，以禅诵为事。”

【赏析】

这首诗是诗人从山中寄给弟弟妹妹的，描述自己在山中的修行生活。前二句意思是说，山中居住着很多参禅修道的同伴，因为共同的坐禅诵经的愿望，自然而然地聚集在了一起。这是实写，向家人表明，自己并不孤单，有很多人作伴，家人不必牵挂自己。后两句虚写，诗人遥想家中亲人一定也在惦念着自己，会经常向他所在的山中眺望，然而，看到的恐怕只是天上的白云吧！前人评价“身在山中，却从山外人眼中想出，妙悟绝伦”。表现了作者闲适自得的参禅之情。

闻裴秀才迪吟诗因戏赠

猿吟一何苦，愁朝复悲夕。

莫作巫峡声，肠断秋江客①。

【注释】

①巫峡：为长江三峡之一，在重庆奉节东。昔其地渔者歌曰：“巴东三峡巫峡长，猿鸣三声泪沾裳。”

【赏析】

前两句“猿吟一何苦，愁朝复悲夕”，是戏说裴迪朝夕苦吟。“一何”是叹词，是“多么”的意思。后二句写巫峡猿吟声凄苦，使秋天江行的客人闻之肠断，戏劝裴迪作诗不要像巫峡猿猴的啼叫声那样，使自己感到愁苦异常，伤心落泪。诗人的这位友人作诗，有记载说“裴迪袖手，衣袖至穿”，是出了名的苦吟之人，而此处诗人用巫峡猿吟的形象“戏赠”友人，将他的苦吟比作使人听之肠断的猿声，除了调侃他苦吟的癖好之外，还表现了诗人阔达恬淡的心胸，以及对友人的关切之情。

赠韦穆十八①

与君青眼客，共有白云心②。

不向东山去，日令春草深③。

【注释】

①韦穆：行十八，生平未详。

②青眼：眼睛正视时，眼球居中，表示对人喜爱或尊重。与“白眼”相对。《晋书·阮籍传》：“籍又能为青白眼。见礼俗之士，以白眼对之。及嵇喜来吊，阮籍作白眼，喜不怿而去；喜弟康闻之，乃赍酒挟琴造焉，阮大悦，乃见青眼。”白云心：指归隐之心。

③东山：东晋谢安曾隐居东山，后以“东山”喻隐居之地。李白《忆东山二首》：“不向东山久，蔷薇几度花。白云还自散，明月落谁家？”

【赏析】

友人韦穆与诗人志同道合，皆有隐逸之心，诗人作此诗相赠，劝他及早归隐山林。首句“与君青眼客”，表明诗人对韦穆的喜爱与尊重，他与诗人志趣相投。“共有白云心”即写明他与诗人都有出世之志，表达了他二人对隐居生活的向往，和对官场世俗生活的鄙弃。“白云”在王维的诗中总是安闲自得的隐喻，聚散无定，来去随心，是诗人自由心灵的外在投射与象征。后两句感叹韦穆归隐不趁早，空令隐居之地的春草日日繁盛。用“春草深”的意象结尾，写出诗人待友不至的惆怅心境，有含蓄不尽的绵长意味。

山中送别

山中相送罢，日暮掩柴扉。
春草明年绿，王孙归不归[①]？

【注释】

①王孙：贵族子孙，此指送别之友人。

【赏析】

这首送别诗，没有直接写送别场景，而是通过对送别之后情绪的渲染，来表达诗人与友人之间真挚的情谊。前两句叙事，山中的别业刚刚送走了客人，天色已晚，掩上柴扉。以"掩柴扉"这一平常的动作，把诗人怅惘的心情和寂寞的神态婉转地表现了出来。后二句发问，等到春草明年复苏展绿的时候，不知道我的朋友能不能归来呢。"归不归"这一寻常的发问，把诗人的留恋之意、盼望之情，深刻而细腻地表现了出来。整首诗明白如话，却又韵味悠长，体现了诗人对友人浓浓的思念之情。

临高台送黎拾遗[①]

相送临高台，川原杳何极[②]？

日暮飞鸟还，行人去不息。

【注释】

①临高台：汉乐府鼓吹铙歌十八曲之一。黎拾遗：黎昕，王维朋友。拾遗，官名。

②杳（yǎo）：深广貌。

【赏析】

前人评价此诗“景中寓情不尽，古淡，极沉着”。首句写临高台远望，目送行人远去，惜别之情，不难想见。第二句写高台临望所见，广袤的原野和奔流的河川看不到尽头，使人联想到征人的漫漫长途，以及时间与空间的无垠，使人生出无限的感慨。后二句以倦鸟知还反衬行人远去，飞鸟尚且知道疲倦而飞回，而离人却为了生存与事业，奔走跋涉，尚不知何时才能归来。诗人冷静而又不无悲壮地表现出这种奔波劳苦的人生意境，令读者回味与感慨不尽。

别辋川别业

依迟动车马，惆怅出松萝①。

忍别青山去，其如绿水何！

【注释】

①依迟：依依不舍貌。

【赏析】

这首诗写诗人告别辋川别业时的依依不舍之情。首句“依迟”即依依不舍的样子，诗人所乘的车马迟迟不肯出发。第二句“惆怅”二字充分表现了诗人不得不离开时因失望而懊恼不已的情态。“松罗”本是地衣类植物，常附于松树或其他树上，此处用来借指山林。第三句“忍别”即是不忍告别，再次表明了作者留恋不舍的苦痛心情。第四句意思是说，怎奈绿水也使我不忍离去！整首诗反复地表达诗人对辋川别业的留恋与不舍之情，他留恋此地的青山绿水，留恋自己在山林中闲云野鹤般的生活，而当他不得不和这一切告别之时，所有的只能是无穷无尽的怅惘和哀伤。

崔九弟欲往南山马上口号与别①

城隅一分手，几日还相见②？

山中有桂花，莫待花如霰③。

【注释】

①崔九：即崔兴宗。博陵（今河北安平）人。唐诗人。早年隐居终南山，与王维、卢象、裴迪等游览赋诗，琴酒自娱。曾官右补阙、饶州长史。南山：终南山。口号：随口吟成，意近“口占”。

②隅（yú）：角落，边。

③霰（xiàn）：小冰粒，由水蒸气在高空中遇到冷空气凝结而成，常在下雪前出现。此句意谓莫待花落如霰才归山隐居。柳恽《独不见》：“芳草生未积，春花落如霰。”

【赏析】

好友崔兴宗即将去终南山隐居，诗人口占一诗作别。前二句写我们在城边分手之后，要到哪一日才能再见面呢？“几日还相见”的问话，淳朴直白，道出了诗人对友人的恋恋不舍之情，盼望与崔兴宗早日相见。后二句写山中桂花正在开放，我们不要等到桂花落在地上犹如雪粒的时候，才再相见啊！用“桂花如霰”的形象，美感十足，既暗示出时光的美好和短暂，又提醒友人不要错过美好欢乐的时光，大家早些见面，共赏桂花。字里行间透露着对友人的不舍与留恋，以及对下一次相会的殷切期待。

息夫人①

莫以今时宠，能忘旧日恩。
看花满眼泪，不共楚王言。

【注释】

①诗题下原注："时年二十。"息夫人：春秋时息侯夫人，姓妫，亦称息妫。又因容颜绝代，目如秋水，脸似桃花而称为"桃花夫人"。楚文王灭息，夺息妫为妻，生堵敖及成王。息妫从不主动与楚王说话，楚王问其故，回答说："吾一妇人，而事二夫，纵弗能死，其又奚言？"事见《左传》庄公十四年。唐《本事诗·情感》："宁王宪（玄宗兄）贵盛，宠妓数十人，皆绝艺上色。宅左有卖饼者妻，纤白明晰，王一见属目，厚遗其夫取之，宠惜逾等。环岁，因问之：'汝复忆饼师否？'默然不对。王召饼师使见之。其妻注视，双泪垂颊，若不胜情。时王座客十余人，皆当时文士，无不凄异。王命赋诗，王右丞维诗先成，'莫以今时宠……'坐客无敢继者。王乃归饼师，使终其志。"

【赏析】

前两句照应息夫人的本事，不要以为你今天的宠爱，就能使我忘掉旧日的恩情。"莫以""能忘"二词构成一个否定的条件句，以新宠并不足以收买息夫人的心，反衬了旧恩的珍贵难忘。后二句，是诗人想象的特定场景，息夫人在富丽堂皇的楚宫里，看着本来使人愉悦的花朵，却满眼泪水，对她身边的楚王始终不说一言。"不共楚王言"，是在写她"满眼泪"之后，这个"无言"的形象，就刻画得格外具有悲剧性。这沉默中包含着人格的污损和精神的创痛，也许是由此而蓄积在心底的怨愤和仇恨。诗人塑造了一个饱受屈辱，但是以沉默反抗的女子形象，在艺术上有着其深沉的动人之处。

班婕妤三首①

玉窗萤影度，金殿人声绝②。
秋夜守罗帏，孤灯耿不灭③。

【注释】

①班婕妤（yú）：一题《婕妤怨》，乃乐府古题名。《乐府诗集》卷四三："《婕妤怨》者，为汉成帝班婕妤作也。婕妤，徐令彪之姑，况之女。美而能文，初为帝所宠爱，后幸赵飞燕姊弟，冠于后宫。婕妤自知见薄，乃退居东宫，作赋及《纨扇诗》以自伤悼。后人伤之而为《婕妤怨》也。"

②金殿：谓皇宫。

③帏：帐幕。耿：光明。

【赏析】

这首诗，写班婕妤居住环境的寂静凄清，以及她夜不能寐的愁苦心情。前人评价此诗："叙秋夜独居之景，凄切有情。"秋夜的窗前，闪动着微弱亮光的萤火虫飞来飞去；而窗内却是孤灯独照，其光忽明忽灭。萤火与孤灯相映，更显出主人公的孤寂。整座东宫人声早已停息，唯独只有她守着罗帏，怀抱着期待君主临幸的一线希望。然而．君主早已憩息，只剩下自己独自坐在在帐幕之中。此诗借咏班婕妤不受君王宠幸，表现了贤人才士不受朝廷重用的事实，抒发了诗人的愤愤不平之意。

宫殿生秋草，君王恩幸疏。

那堪闻凤吹，门外度金舆①！

【注释】

①凤吹：笙箫等细乐之美称。《文选》孔稚珪《北山移文》："闻凤吹于洛浦。"李善注："王子乔……好吹笙作凤鸣，游伊、洛之间。"金舆：天子车驾。

【赏析】

先写班婕妤居住环境的荒凉萧瑟，她所居住的宫殿的庭院里长满了衰败凋零的秋草。最后二句，诗人更用门外传来皇帝乘坐的车辆路过宫门时声音的难以忍闻，来反衬主人公此时内心的绝望与极度悲凉。这里是暗用了班婕妤曾经婉辞与汉成帝共辇的故事，而反其意写之，言得到宠信的人与皇帝共辇，更加反衬出班婕妤内心的凄凉苦闷。"君王恩幸疏"，这是造成班婕妤居住环境寂静荒凉和心境孤单悲苦的原因，说明主人公是遭到皇帝玩弄后遗弃的不幸女子。

怪来妆阁闭，朝下不相迎[①]。
总向春园里，花间语笑声。

【注释】

①怪来：难怪。妆阁：供梳妆所用亭阁。朝下：下朝之后。此句意谓君王下朝后不复临幸。

【赏析】

这一首写班婕妤的无言抗争和无意欣赏美丽的春光。前人评价此诗“含蓄，悠长，冲雅”。“妆阁闭”和“不相迎”，正是内心愤懑、反抗的表露。亦写出了班婕妤甘于求退之意。虽然花园里早已春光明媚，花正红，柳已绿，而她却无心去观赏。宫女们在花丛中发出的欢声笑语，更强烈地反衬出她内心的无限凄清惆怅。整首诗，除了表达诗人对朝廷不选拔贤才的不满与愤懑之情而外，还隐约透露了诗人无可奈何和弃世隐居的意味，使人产生无限感慨。

题友人云母障子[①]

君家云母障，持向野庭开。
自有山泉入，非因彩画来。

【注释】

①诗题下原注:“时年十五。”云母障子:一种以云母石装饰之屏风。

【赏析】

这首诗是诗人十五岁时所作。前两句说,主人家的屏障是用云母石片做的,这屏风放在面对堂前空旷的庭院的地方。后两句的意思是,庭院的石山、清池,山上喷涌的泉水,都从云母屏障中显现出来,这是一幅多么美丽的天然图画!因此,不必再刻意在屏障上描绘人工的山水图画了。这首小诗联想自然,格调清新隽永,写出了屏障的奇异和友人所居环境的幽雅不俗,表现了诗人对自然山水的热爱之情。也有注释者认为,后二句的意思是,形容屏风上描画的山泉形象逼真,使人感觉不到是画出来的。

红牡丹

绿艳闲且静,红衣浅复深①。
花心愁欲断,春色岂知心②?

【注释】

①绿艳:指牡丹枝叶。红衣:指牡丹花瓣。
②此二句意谓,即使牡丹愁心欲断,将尽之春色亦不会为其停留。

【赏析】

牡丹在暮春的时节开花。首句写牡丹枝叶的情状，此处用拟人的手法，写出它娴静的姿态。第二句写牡丹的花瓣，嫣红的花瓣又分层次，使人感觉色调有和谐之美。后二句是伤春，因为牡丹开时已值暮春，因此使人想象，牡丹愁心欲断，因为春天即将逝去，而后诗人又反问“春色岂知心”，春日将近，也不会因为牡丹的愁泣而作片时的停留的。整首诗表达了诗人对牡丹花的喜爱之情，以及对春天即将逝去的感伤与留恋，亦隐约透露出诗人怀才不遇的感慨。

左掖梨花①

闲洒阶边草，轻随箔外风②。

黄莺弄不足，衔入未央宫③。

【注释】

①左掖（yè）：即门下省。唐大明宫宣政殿前有东西两廊，各有门，东为日华门，西为月华门。日华门外为门下省，月华门外为中书省。门下省地处殿左，称左省、左掖、东省；中书省地处殿右，称右省、右掖、西省。掖，旁边。

②洒：指梨花散落。箔（bó）：帘子。

③弄：玩弄，玩耍。未央宫：汉长安宫殿名，故址在今西安西北。此处借

指唐皇宫。

【赏析】

这首诗写作者供职的宫中官署附近梨花的景致。首二句对仗，写梨花飘荡，“闲”“轻”二字，写出了梨花的无意识与花瓣轻飘的情态，暗喻京朝官如无人推举，则就像这梨花的花瓣一般，飘扬于阶前帘外，碌碌无为，表现了诗人的怅惘之情。后二句写黄莺将花瓣衔起，飞入未央宫。暗喻一旦有人援引，则荣华富贵指日可待。诗人用托物比兴的手法，写出官宦生涯的浮沉不定，颇有刺时的意味，表达了对时人干谒求进的不满，以及身不由己、无可奈何的心态。

口号又示裴迪

安得舍尘网，拂衣辞世喧①。
悠然策藜杖，归向桃花源②。

【注释】

①尘网：尘世之罗网。拂衣：此指弃官隐居。《后汉书·杨彪传》载，孔融曰：“孔融鲁国男子，明日便当拂衣而去，不复朝矣！”世喧：尘世喧扰。

②策藜杖：扶藜杖。藜，一年生草本植物，茎坚老者可为杖。

【赏析】

天宝十五载六月，唐玄宗率群臣奔蜀，安禄山率兵占领长安。王维随从不及，为叛军所获，拘禁于洛阳菩提寺。友人裴迪前来探望，说及凝碧池上安禄山宴群臣，乐工垂泪而泣一事，王维口占七绝、五绝各一首，七绝即《凝碧池》，五绝即此诗。因此诗作于七绝后，故题中云“又示”。全诗表达了诗人欲获得自由，舍弃乱世，归隐山水之中的愿望。桃花源的生活是诗人毕生追求的理想，“归向桃花源”即是回归人本性的天真自由，诗人向往的便是这种自由自在、安闲悠适的山水田园生活。

杂诗三首

家住孟津河，门对孟津口①。
常有江南船，寄书家中否？

【注释】

①孟津：亦称盟津，黄河上一渡口，在今河南孟津县。

【赏析】

《杂诗三首》是一组写思妇游子的诗，第一首写思妇家住孟津口的黄河岸边，常望着江南来的船只，希望远在江南的丈夫有书信捎来。前人评价此诗“语质直而意极缠绵”。这首诗文字极其平淡质朴，然而细细咀嚼，其遥情深恨，又跃然于言外。每当她思念远方游子时，曾多少次打开对着黄河的家门张望黄河上的船只，对亲人的思念逐渐发展为“寄书家中否”的疑问，这种对亲人消息的祈盼之情，又使得她不停地去河边询问。诗人通过质朴的语言和典型的意象，描绘出一位忧伤的思妇形象。

君自故乡来，应知故乡事。

来日绮窗前，寒梅着花未①？

【注释】

①来日：来时。绮窗：窗有雕绘花纹者。着花：开花。

【赏析】

这是一首远方的游子思念家乡的诗。游子遇到故乡来的人，向他打听家中情形，而只问梅花开否，语句清新可人。强有急切欲知之意，却以间接冲淡之语相询，内心相思挂念之情婉转而出，更见其情深苦，含蓄蕴藉，悠扬婉转，以口语式的问答和发自内心的自然音调，淡绝妙绝，含有悠扬不尽之致，所谓“情到之辞，不假修饰而自工者也”。从微物关情，传出诗人对家乡事事关心，从而强烈地表达了游子热切的思乡之情。前人评价此诗“真挚缠绵，不可思议”。

已见寒梅发，复闻啼鸟声。
愁心视春草，畏向阶前生。

【赏析】

这首诗写女子在家中盼望远方的夫婿归来的景况。“已见”“复闻”表明季节变换，冬去春来，万物复苏，眼前所见，皆是快乐明丽的景象，更衬托出少妇内心的悲凉与哀愁。后二句写女主人公害怕春草生向阶前，因为如果那样，她将随时都能真切地感受到春天的到来，其思念丈夫的愁心也将因此而愈加不可抑止，写得深婉含情。这一组诗深受南朝乐府民歌影响，充满闺情诗的情韵，格调清丽，语言质朴，感情真挚，表现了诗人无比细腻的感情，和对细微景物触动人愁思的无比敏锐的感受力。

崔兴宗写真咏①

画君年少时，如今君已老。
今时新识人，知君旧时好。

【注释】

①写真：画像。

【赏析】

首句写画像，画的时候崔兴宗还“年少”，所以，画面上准是一位英姿勃发的青年。次句咏画中人，只着一“老”字，使画与人形成鲜明对照。如果说前两句是由昔说到今，由画说到人，那么后两句则相反，是由“今时”说到“旧时”，由旁观者说到主人公。“今时”识君者有一部分还是了解画中人的，故加“新”字加以限制，强调了画中人前后判若两人，以至于使“今时新识人”很难把二者统一起来，故当他们看到画像时，定会惊讶：原来崔老先生当年是这样一位美男子。通首诗皆以今昔为言，一句一转，愈转愈深，使人回味无穷。

山茱萸①

朱实山下开，清香寒更发。
幸与丛桂花，窗前向秋月。

【注释】

①山茱萸：见《辋川集·茱萸沜》注②。

【赏析】

这首诗写秋季山茱萸果实成熟时的美好情状。首句“朱实”即是指山茱萸果实成熟时呈朱红的颜色，鲜丽夺目，惹人喜爱。第二句写山茱萸果实在寒冷的秋天里香味更加明显，一个“更”字，更加突出了山茱萸果实不畏寒气、清香四溢的情状，惹人怜爱。最后二句，写茱萸与成丛的桂花一起，在诗人居所的窗前月下，展露着美好的姿态。茱萸为红色，桂花为黄色，颜色相明夺目，交相辉映，散发着阵阵幽香，诗人的描绘美感十足，令人神往，表现了他幽居的闲适情怀。

哭孟浩然①

故人不可见，汉水日东流。

借问襄阳老，江山空蔡洲②。

【注释】

①诗题下原注：“时为殿前侍御史，知南选，至襄阳有作。”孟浩然：盛唐诗人，襄州（今属湖北）人，世称“孟襄阳”。多山水田园诗，与王维齐名，合称“王孟”。浩然卒于开元二十八年（740），时王维知南选赴岭南，途经襄阳作此诗。殿中侍御史：官名，掌殿庭供奉之仪，有违失者则纠察之。知：主持，执

掌。南选："选"指官吏的铨选。唐制，六品以下官吏之铨选，由吏部和兵部负责，每年一次，在京师举行。其岭南、黔中郡县官吏之铨选，则每四年一次，由朝廷选派京官为选补使，赴当地主持进行，谓之南选。

②襄阳老：襄阳当地耆老；一说指孟浩然。均通。空：只，只有。蔡洲：襄阳城外汉水中一小洲，因东汉末蔡瑁尝居此而得名。借指孟浩然故乡或其生前游赏之处。

【赏析】

开元二十八年，王维公务途经襄阳，这里正是孟浩然隐居之地。未及去拜见孟浩然，却传来他病死的消息，诗人心情悲痛，写下了这首作品。前两句写故人已经不在，如同那日夜不停的汉江一样从人世间逝去。古人用流水比喻时光流逝，流水还是思念的象征，朋友的离去已经不可挽回，而此时，诗人对孟浩然的思念也是如同那连绵不尽的江水一样无穷无尽。后两句写眼前襄阳的景物依旧，我忍不住问那个当年自称襄阳老的孟浩然哪里去了。物是人非，使人徒添伤感。这首诗的动人之处还在于，诗人不仅写对孟浩然的思念，更是从侧面烘托出了孟浩然的隐士风采。孟浩然已经与襄阳的山水融为一体，所以诗人才能看到江山而想起故人。

山中

荆溪白石出，天寒红叶稀[1]。

山路元无雨，空翠湿人衣[2]。

【注释】

①荆溪：水名，在今陕西蓝田西北。白石出：溪中白石露出水面。

②元：原来，本来。

【赏析】

这首诗描绘的是深秋时节终南山中的景色。前两句写荆溪从白石中涌出来，天气转寒，树上的红叶已经稀疏。后两句写山中本来无雨、无露，但山色青翠得似水欲流，似露欲滴，令人有湿衣之感。“湿”形容山岚苍翠欲滴，湿衣如雨。诗人借用“通感”的手法，用触觉的干湿来感知视觉的翠色。诗句以幻觉写实感，形容松柏之苍翠欲滴，把一幅深山幽景的画面写得神韵绝胜。整首诗写出了山光与人相亲的情趣，表现了诗人的空静之境，是诗人追求真淳高洁的审美理想的结晶。

相思

红豆生南国，秋来发几枝[1]。

劝君多采撷，此物最相思②。

【注释】

①红豆：又名相思子，相思木所结子。形如豌豆而稍扁，呈鲜红色。生于南方。古代多以其象征爱情和相思。《文选》左思《吴都赋》刘渊林注：“相思，大树也……其实如珊瑚，历年不变。”唐李匡乂《资暇集》卷下：“豆有圆而红、其首乌者，举世呼为相思子，即红豆之异名也。”

②撷（xié）：摘取。

【赏析】

首句“南国”一语双关，既是红豆生长之地，又是朋友所在之地。第二句紧承第一句发问，秋天来了，红豆是不是已经成熟了呢？红豆引人相思，因此这句话也是在暗示在南方的朋友，你还记得我这个远在长安的朋友吗？第三句寄意友人多采摘红豆。最后一句，点出主题“相思”二字。本来是自己思念对方，却寄希望于对方思念自己，这种情思借助于咏红豆表示，含蓄蕴藉，巧妙深刻，表现出单纯而又隽永的意味。前人评价此诗：“藉红豆表己之相思，愿人之毋怠，风神摇曳，韵致缠绵。托物抒情，言近意远。”

田园乐七首

厌见千门万户，经过北里南邻①。
官府鸣珂有底，崆峒散发何人②？

【注释】

①厌见：饱见，多见。一作“出入”。千门万户：指皇宫之门户。《史记·孝武本纪》：“于是作建章宫，度为千门万户。”北里南邻：指王公贵族所居之地。左思《咏史八首》其四：“济济京城内，赫赫王侯居……南邻击钟磬，北里吹笙竽。”

②鸣珂（kē）：达官显贵所乘马以玉为饰，行则作响，因名。珂，一种美玉。底：何。崆峒：亦作“空同”，山名，在今甘肃平凉。相传古仙人广成子居于此。葛洪《神仙传》卷一：“广成子者，古之仙人也。居崆峒之山石室之中，黄帝闻而造焉。”散发：披散头发，狂放不羁之态。亦指隐居。

【赏析】

这组诗均为六言绝句。首句“厌见”表达了诗人对朝堂为官生活的厌倦之情。第三句“有底”是“为什么”的意思。官府之人不识田园生活之乐，即是“有底”，而“何人”正是写诗人自己，他向往着狂狷的隐士生活，超越于政治之上。“有底”“何人”两个问句，传递出诗人对自身状况与人生理想的苦苦思索与追寻，诗人带着强烈的“比较意识”去观察和体味自然之美，以田园之乐对比政治之苦，表现出对现世出入庙堂与权贵之门生活的不屑与厌弃之情，以及对以“散发”所表现出的狂放不羁的隐居生活状态的无比向往。

再见封侯万户，立谈赐璧一双①。
讵胜耦耕南亩，何如高卧东窗②。

【注释】

①“再见”二句，扬雄《解嘲》：“或七十说而不遇，或立谈而封侯。”按，立谈而封侯，指虞卿说赵孝成王事。《史记·平原君虞卿列传》：“虞卿者，游说之士也……说赵孝成王，一见赐黄金百镒、白璧一双，再见为赵上卿，故号为虞卿。”二句即用其事，谓顷刻间立致富贵。

②耦耕：二人并耕。泛指农事或务农。《论语·微子》：“长沮、桀溺耦而耕，孔子过之，使子路问津焉。”高卧东窗：指隐者闲适生活。

【赏析】

前两句写人才受到君主赏识，因而骤获显贵。然而，诗人对这样的事情是抱着否定的态度的，三、四句“讵胜”“何如”，鲜明地反映出诗人对功名富贵的鄙弃态度，这些事情都不如“耦耕南亩”“高卧东窗”，诗人运用《论语》中的典故和隐士生活的典型意象，来表现他对悠闲安适的隐居生活的追求与向往的态度。一、二两句和三、四两句形成强烈的对比，诗人再运用“讵胜”“何如”这样褒贬分明的词语来表现自己的生活态度与理想追求，读来令人印象深刻。

采菱渡头风急，策杖村西日斜。
杏树坛边渔父，桃花源里人家①。

【注释】

①杏树坛：即杏坛。传为孔子讲学之地方。在今曲阜孔庙大成殿前。渔父，《庄子·渔父》："孔子游乎缁帷之林，休坐乎杏坛之上。弟子读书，孔子弦歌鼓琴，奏曲未半，有渔父者下船而来，须眉交白，被发揄袂，行原以上，距陆而止，左手据膝，右手持颐以听。"

【赏析】

前两句，"采菱""策杖"，是记叙诗人的游览活动，"风急""日斜"是摹状诗人所游之景。"杏树"句，运用《庄子·渔父》中的典故，表现此地有能听琴的高雅渔父，描绘出乡人的不俗。最后一句运用陶渊明《桃花源记》里的典故，道出诗人所居环境为世外的乐土。这首诗用明快的语言描绘出了一幅世外桃源般的山水田园生活的美景，表现出诗人旷适娴静的隐者情怀和高雅脱俗的生活情趣。前人评价此诗："如此悠闲野趣，想见辋川图画中人。"

萋萋芳草春绿，落落长松夏寒①。
牛羊自归村巷，童稚不识衣冠②。

【注释】

①萋萋：草盛貌。落落：松高大貌。《文选》孙绰《游天台山赋》："藉萋萋之纤草，荫落落之长松。"吕延济注："落落，松高貌。"

②衣冠：士大夫之穿戴。借指官员、士大夫。

【赏析】

这首诗描绘出秀丽的田园风光，以及远离尘世的淳质朴素的田园隐居生活。前两句中"萋萋"和"落落"两个叠词，写出了春天芳草茂盛和松树冠盖入云的高大状貌。"牛羊"句写田园风光，一"自"字将悠闲安适的田园生活勾勒出来，使人仿佛看到夕阳西下，一排排牛羊返回村落的恬静场景。"童稚"句，写儿童不认识当官的人，写出儿童的天真淳朴之态。整首诗表现了诗人所欣赏的古朴淳美的田园风情，给人以返璞归真之感，民俗淳古，其乐可想而知。

山下孤烟远村，天边独树高原。
一瓢颜回陋巷，五柳先生对门①。

【注释】

①颜回：字子渊，亦称颜渊，春秋鲁人，孔子弟子。家贫而好学，孔子屡称其贤。《论语·雍也》："子曰：'贤哉回也！一箪食，一瓢饮，在陋巷，人不堪其忧，回也不改其乐。贤哉回也！'"

【赏析】

这首诗宛如一幅萧疏清淡的水墨画。前两句，“山下”指远处山下，因为山下有“远村”作伴，此山与“天边”作邻，就更可见其远了。毫无城市喧嚣繁华的景象，只有稀稀落落的村庄。“孤烟”一词可见人烟非常稀少，“独树”与“孤烟”相对，“高原”与“远村”相连，就更感苍凉孤寂了。在此清静的天地中，有颜回、陶潜那样的雅兴，多么恬适安闲、自由自在。如果说前两句是重在描绘冲淡的景物的话，那么后两句是重在抒发冲淡的情感。而冲淡的情景，又是彼此交融、相互渗透的。诗人孤身静处却始终保持着内心的和平与淡泊，这首诗就是诗人冲淡心情的写照。

桃红复含宿雨，柳绿更带春烟①。
花落家童未扫，莺啼山客犹眠②。

【注释】

①宿雨：昨夜之雨。
②山客：隐居山中之人。作者自喻。

【赏析】

前两句，写桃花、柳丝、莺啼，捕捉住春天富于特征的景物，桃、柳、莺都是确指，容易唤起直观印象。通过“宿雨”“朝烟”来写“夜来风雨”，也显然有同样的艺术效果。在勾勒景物的基础上，进而有着色，“红”“绿”两个颜色字的运用，使景物鲜明怡目。读者眼前会展现一幅柳暗花明的图画。后两句，花落就该打扫，然而“家童未扫”。未扫非不扫，乃是因为清晨人尚未起的缘故。这无人过问满地落花的情景，别有一番清幽的意趣。这正是诗人所偏爱的境界。“未扫”二字有意无意得之，毫不着力，浑然无迹。莺啼却不惊梦，山客犹自酣睡，花落莺啼虽有动静有声响，衬托出“山客”的居处与心境越见宁静。整首诗意境浑成，情景交融。

酌酒会临泉水，抱琴好倚长松①。

南园露葵朝折，东谷黄粱夜舂②。

【注释】

①会：适。

②黄粱：小米的一种。

【赏析】

这首诗写诗人的隐居生活。前两句写诗人自己临泉饮酒，倚松弹琴，“会”和“好”字，写出了诗人的赏心乐事，表现了他高尚的情操和高洁的情怀。后二句写诗人摘菜、春粮的田家生活，“朝”和“夜”表明诗人一日无事，只做这些令他心旷神怡的事情，表现了他对田家生活的热爱之情。在字里行间流露出王维恬淡、闲适的欣悦之情，表现了他对隐居生活发自内心的真正热爱。诗人创造了士大夫理想之中最优雅高尚的田园之境，成为后世文人描绘隐逸生活的范本。

少年行四首①

新丰美酒斗十千，咸阳游侠多少年②。
相逢意气为君饮，系马高楼垂柳边。

【注释】

①少年行：乐府杂曲歌辞。

②新丰：古县名。在今陕西临潼。古代新丰产名酒，谓之新丰酒。斗十千：一斗酒十千文钱，极言酒之名贵。曹植《名都篇》：“归来宴平乐，美酒斗十千。”咸阳：秦都。此借指唐都长安。

【赏析】

《少年行》四首写当时少年游侠的生活。第一首写一群侠少相逢聚饮。前两句，新丰美酒价格昂贵，咸阳游侠多是少年。“斗十千”用酒的昂贵展现了少年游侠挥金如土的豪爽性格。后两句，两个人情意相投便开怀畅饮，他们骑来的马便拴在酒楼下的垂柳边。邂逅相遇，即系马痛饮，烘染出少年游侠的意气，他们英武豪迈、潇洒任性的游侠性格跃然于纸上。诗人在此创造出富于浪漫气息的生活情调，突出了侠少的浪漫潇洒的生活情调，读来令人意气风发。

出身仕汉羽林郎，初随骠骑战渔阳①。

孰知不向边庭苦，纵死犹闻侠骨香。

【注释】

①羽林郎：汉羽林军官名，掌宿卫侍从。唐时有左右羽林军，为皇家禁军之一。骠骑：即骠骑将军。汉武帝以名将霍去病为骠骑将军。渔阳：古地名。汉置渔阳郡，唐有渔阳县。在今京津一带。此泛指边疆。

【赏析】

这首写少年游侠的出身、经历和志向。前二句，“羽林郎”“骠骑”“渔阳”都是运用汉代的典故，写这位游侠出身良家，初入仕途就担任过令人羡慕的羽林郎的官职，而且还跟过名将出征，具有实战经验。后二句，写现在他却缺少到边疆去作战的机会。于是，他为了这个而难受起来了：谁能知道这种不能到边疆去的苦处呢?到边疆去作战，当然会有危险，甚至丧失生命，但是为了保卫祖国而牺牲，该是多么的光荣啊！即使最后剩下的只有一堆白骨，这骨头也带着侠气，散发着香味，也就是说，为国献身，必然流芳千古。整首诗表现出昂扬的斗志和乐观向上的精神风貌。

一身能擘两雕弧，虏骑千重只似无①。
偏坐金鞍调白羽，纷纷射杀五单于②。

【注释】

①擘（bò）：用手张弓。雕弧：雕饰彩画之木弓。

②偏：犹正、恰。调白羽：调弄弓矢，准备放箭。白羽，箭。尾部饰有白色羽毛，故云。五单于：《汉书·宣帝纪》载：宣帝时匈奴内乱，“诸王并自立，分为五单于，更相攻击”。此借指众敌酋。

【赏析】

这首写少年游侠的武艺和战功。首句写他射技超群。雕弧是刻了花纹的弓。能擘开两张弓，即能左右开弓，突出他武艺高强。次句写他不畏强敌，冲进千军万马，如入无人之境。后两句承上而来。白羽，指箭。白羽、金鞍，与雕弧同，都是为这位主人公的武器和服饰着色，以衬托其风姿的英俊。他在战斗中，凭借着高超的武艺和骑术，英勇杀敌，偏左偏右地坐在马上，抽出箭来，射了出去，敌人的几位首领，便纷纷被消灭了。这位少年的武艺、勇敢、功劳和为国献身的精神，通过这首诗的战斗描写，使读者获得完整的印象。

汉家君臣欢宴终，高议云台论战功①。

天子临轩赐侯印，将军佩出明光宫②。

【注释】

①云台：在汉洛阳南宫中。东汉明帝曾画邓禹等二十八将于云台之上，以表彰其功绩。

②轩：殿前拦槛。明光宫：汉宫名。

【赏析】

这首写这位少年胜利凯旋，论功受赏。首句写皇帝赐宴，第二句写诸将评功。东汉明帝时，曾把开国功臣邓禹等二十八人的像画在云台上。论战功而在云台，表明这次战胜强敌，功劳巨大，可以和开国功臣比美。最后两句写受奖封侯。轩，这里指皇宫中有廊的平台之类。有些礼仪要皇帝在轩中举行，称为临轩仪。明光，汉宫名。这时，这位少年已经不是侠少，而是将军了，评功以后，又封侯爵，他佩带着侯印，走出明光宫，真算是踌躇满志，衣锦荣归了。在长安侠少意气风发建功立业的身影中，又有着诗人理想的寄托，表现了诗人为国效力的崇高愿望与追求功名富贵的思想。

寄河上段十六[①]

与君相见即相亲，闻道君家在孟津。
为见行舟试借问，客中时有洛阳人。

【注释】

①河上：黄河上。此诗一说卢象作。卢象：见后面《与卢员外象过崔处士兴宗林亭》诗注①。

【赏析】

这首诗写与友人段十六的投缘，以及分别后的思念之情。首句一“即”字，道出诗人与段十六相知之快，表明他们彼此兴味相投，一见便相亲如故，表达了诗人对段十六深厚的友情。第二句点明段十六家住何方，孟津是黄河古渡口名，在洛阳附近。后二句意思是，船上的洛阳旅客恐怕有知道段十六近况的，我想向他们探问一番。写思念友人，并不直接表达，而是说借问船上有认识友人的人，这样表达显得温婉含蓄，更加烘托出诗人无时无刻不牵挂友人的心态，读来令人感动。

赠裴旻将军[①]

腰间宝剑七星文，臂上雕弓百战勋[②]。

见说云中擒黠虏，始知天上有将军③。

【注释】

①裴旻（mín）：唐代著名将领，剑客。《新唐书·文艺传》：“文宗时，诏以白（李白）歌诗、裴旻剑舞、张旭草书为‘三绝’。”

②七星文：宝剑。《吴越春秋》卷三载，伍子胥奔吴，至江，渔父渡之，子胥解剑相赠，曰：“此吾前君之剑，中有七星，价直百金，以此相答。”古诗文多用“七星”或“七星文”喻宝剑。

③云中：古郡名。原为战国赵地，汉云中郡治所在今内蒙古托克托东北。或泛指边关。《史记·冯唐列传》载，汉文帝时，魏尚为云中太守，曾亲率车骑出击匈奴，所杀甚众。后因报功文书上所载杀敌数字与实际不合，被削职。冯唐为其辨白，于是文帝就派冯唐“持节”前往云中赦免魏尚之罪。黠（xiá）虏：狡猾之敌人。此句形容裴旻神武异常，乃天上之将军。

【赏析】

这首诗称赞裴旻将军武艺高超，英勇善战。首句“七星文”即是指宝剑上的七个金星光辉夺目，用以烘托出裴旻所使用的兵器的不凡，暗示将军武艺高超。第二句“百战勋”三字，明确写出裴旻功劳卓著，实际上，有史料记载裴旻“尝率偏军横绝漠，声振北狄，气摄东胡”，因此这句也是实写，并没有夸张的意味。后二句，“云中”是古郡名，“天上”犹天朝之意，唐人对戎狄之邦自称天上，这二词形成对偶，给人以气势不凡之感，更加衬托出将军的声威和气势，令敌人胆寒，表现了诗人对裴旻的由衷钦佩。

九月九日忆山东兄弟①

独在异乡为异客，每逢佳节倍思亲。

遥知兄弟登高处，遍插茱萸少一人②。

【注释】

①诗题下原注："时年十七。"九月九日：农历九月九日重阳节。山东：指峭山、函谷关以东地区。王维本太原祁县人，后迁居蒲州，即今山西永济西。蒲州地处山东，故称故乡兄弟为"山东兄弟"。

②登高：重阳节民间登高、插茱萸之习俗。传说能以此避灾。《太平御览》引周处《风土记》曰："九月九日，律中无射而数九，俗于此日，以茱萸气烈成熟，尚此日，折茱萸房以插头，言辟恶气而御初寒。"

【赏析】

这是一首重阳节思念家乡亲人的诗。第一句用一个"独"字和两个"异"字，表现了诗人自己孤独的处境和对亲人的思念。第二句是说诗人作客他乡者的思乡怀亲之情在平日自然也是存在的，但不一定是显露的，而一旦遇到"佳节"的触动，就很容易爆发出来。佳节往往是家人团聚的日子，而且往往和对家乡风物的许多美好记忆联结在一起。诗人用这样朴素无华而又高度概括的诗句成功地表达了这一情思。三、四句意思是说，远在故乡的兄弟们今天登高时身上都佩戴了茱萸，却发现少了一位兄弟。好像遗憾的不是自己未能和故乡的兄弟共度佳节，反倒是兄弟们佳节未能完全团聚，似乎自己独在异乡为异客的处境并不值得诉说，反倒是兄弟们的缺憾更须体贴。这就曲折有致，出乎常情，更加衬托出诗人思念家乡和亲人的炙烈的感情。

戏题辋川别业

柳条拂地不须折，松树梢云从更长①。

藤花欲暗藏猱子，柏叶初齐养麝香②。

【注释】

①梢（shāo）：一作“披”。从：任从。

②猱（náo）：猿之一种。麝（shè）：通称香獐子，形似鹿而小。雄麝肚脐和生殖器之间有腺囊，能分泌麝香。

【赏析】

这首诗咏辋川别业周围的四种植物。前两句写柳条“不须折”、松树“从更长”，表明诗人任凭植物的这种自然状态的生长，而不去修剪它们，体现了诗人放任自然的生活态度。诗人的隐居生活是和大自然融为一体的，并没有人工斧凿的痕迹，他的别业周围的植物便是如此，不加修剪，任其生长。后二句写藤花、柏叶可以喂养猿、鹿。诗人把辋川别业与柳、松、藤、柏、猿猴、麝鹿交杂在一起，又显得这里具有别样的物态，飘洒着山林间的隐逸之气，体现了诗人在青山绿水中安然闲适的生活意趣。

戏题盘石

可怜盘石临泉水，复有垂杨拂酒杯[1]。
若道春风不解意，何因吹送落花来？

【注释】

①可怜：可爱。

【赏析】

杨花飘落的季节，诗人坐在水边的大石上饮酒。磐石如席，春风拂面，花片飞舞在岸边垂杨巨石之畔。绿杨飘拂，高举酒杯，临泉吟诗，反映出诗人高雅的情趣。结尾两语，以问答和猜测的语气抒情遣意，似浮泛，实空灵，耐人咀嚼回味，泉水激石、垂杨拂杯、春风送花，都在无意之间。这首诗流淌着诗人陶醉于山间磐石的独得意趣。尤其是诗中的磐石、泉水、垂杨、春风、落花，似通人意，杨柳拂杯，春风送花，各尽其能，纷纷为诗人的逸乐助兴。自然景物的灵动和谐，使诗意变得活跃跳动。

与卢员外象过崔处士兴宗林亭[1]

绿树重阴盖四邻，青苔日厚自无尘。
科头箕踞长松下，白眼看他世上人[2]。

【注释】

①卢员外象：即卢象，字纬卿，盛唐诗人，常与王维、裴迪等唱和。开元进士。张九龄执政，擢为左补阙，司勋员外郎。员外，即员外郎，尚书省六部诸司副长官。处士：有道德学问而隐居不仕者。崔兴宗：王维内弟，诗人。林亭：园林，隐居之地。

②科头：不戴冠帽，裸露头髻。箕（jī）踞，《汉书·陆贾传》颜师古注："谓伸其两脚而坐，亦曰箕踞其形似箕。"古人席地而坐，两膝着席，臀部压在脚后跟上。箕踞伸脚而坐，表示很随意，不拘礼节。

③"白眼"句：参见《赠韦穆十八》注②。

【赏析】

这首诗写崔兴宗的居处和他孤傲的性情。前两句，写崔兴宗隐居环境的幽深。他住的地方绿树成荫，古木参天。院里的树很大，树冠都伸到周围的邻居家里去了，既言风景秀美，又隐约点出主人在此隐居的时间之长。地上的青苔很厚，没有什么尘土。这句话是说主人隐居于此，少人往来，又因为树荫浓密，所以院子里长满青苔。后二句，写崔兴宗的情态。他头发披散，伸开两腿，分开而坐。古人讲究礼法，伸足而坐是不守礼法的行为。但是对于这位隐士来说，那些把世俗礼法奉为金科玉律的人，一律会被他白眼相待。一个远离尘世喧嚣的世外桃源，一位率性逍遥的隐士形象跃然于纸上。

送元二使安西[①]

渭城朝雨浥轻尘，客舍青青柳色新[②]。
劝君更尽一杯酒，西出阳关无故人[③]。

【注释】

①此诗又题《渭城曲》《阳关三叠》《阳关曲》等。元二：人名。姓元，排行老二，生平未详。使：出使。安西：唐安西都护府，治所龟兹，在今新疆库车一带。此诗曾被后人誉为唐人七绝压卷之作。

②渭城：地名。《汉书·地理志》载，秦咸阳县，汉改新城县，又改渭城县。唐属京兆府咸阳县辖地，在今陕西咸阳东北。浥（yì）：一作“裛”。湿润，沾湿。

③阳关：关名，故址在今甘肃敦煌西南，为出塞必经之地。《元和郡县志》谓其在玉门关之南，故称阳关。

【赏析】

这是一首著名的送别诗。首二句状物写景，一面点明送别的时令、地点、景物，一面融情于景，为送别创造一个愁郁的环境气氛；三、四句写惜别，通过频频劝酒，表达了依依离情。这最后的一杯酒、一句话，是千杯酒、万般话的高度浓缩，友谊挚情的集中表现。本诗语言朴实，形象生动，口语式的问答和发自内心的自然亲切的话语，道出了人人共有的依依惜别之情。诗人把送别场景写得如此明丽，蕴含着安慰、鼓励和祝愿的深情。

齐州送祖三①

送君南浦泪如丝，君向东州使我悲②。

为报故人憔悴尽，如今不似洛阳时③。

【注释】

①齐州：唐州名，治所在今山东济南。祖三：祖咏。

②南浦：泛指送别之地。《楚辞·九歌·河伯》："子交手兮东行，送美人兮南浦。"江淹《别赋》："送君南浦，伤如之何！"东州：泛指齐州以东州郡，唐时属边远地区。

③故人：指祖咏。憔悴尽：憔悴已极，作者自指。洛阳：作者在洛阳时曾与祖咏会晤过，故云。

【赏析】

这首诗作于王维在济州时期。开元十三年祖咏中进士，到东州任职，经过济州，得与王维晤面。离别时，王维赋此诗以诉难舍难分之情。前二句"泪如丝"和"使我悲"道出了诗人离别时的感伤与惋惜之情，我们可以从中体味出诗人与祖咏的交情之深厚，因此离别之时，诗人悲从中来，忍不住流下眼泪。后二句，“憔悴尽”暗含诗人这些年来的不得意，受到很多打击，不再像与祖咏在洛阳时的初次会面那样，意气风发，少年慷慨，其中隐含着不尽的悲凉之意。整首诗语言质朴，明白如话，既表达了对友人的依依惜别之情，又隐含了对诗人自身遭遇的感慨与悲诉。

送韦评事①

欲逐将军取右贤，沙场走马向居延②。

遥知汉使萧关外，愁见孤城落日边③。

【注释】

①韦评事：未详。评事，唐大理寺官员，掌出使推核诉讼等事。

②逐：追随。取：俘获。右贤：即右贤王，汉时匈奴贵族封号。居延：地名。见《使至塞上》注。

③汉使：此指韦评事。萧关：关名。见《使至塞上》注⑤。

【赏析】

首二句以西汉车骑将军卫青击溃匈奴右贤王的史事，喻指友人的请缨杀敌，“欲逐”二字写出友人的志向所在。后二句遥想友人出塞时涌现的乡愁，“孤城落日”既写出征途迢遥、去乡日远的惆怅之心，又将塞外平沙漠漠、广阔无垠的景象一笔勾出，情景如绘。就送者而言，前两句是壮其行色，后两句则表示了体贴关切之情；就行者而言，则表现出他志远情深的慷慨激昂之志。此诗开头便将英雄豪气喷薄吐出，临末却以深情绵渺、不胜依依之笔收尾，既灌注了骏爽奔放的生气，又能有余音袅袅的情致，即所谓“刚健含婀娜”之意。

灵云池送从弟①

金杯缓酌清歌转，画舸轻移艳舞回②。
自叹鹡鸰临水别，不同鸿雁向池来③。

【注释】

①灵云池：在凉州。从弟：堂弟。

②舸（gě）：大船。

③鹡鸰（jí líng）：鸟名。《诗·小雅·常棣》：“鹡鸰在原，兄弟急难。”鹡鸰共母者，飞吟不相离，诗人所以喻兄弟相友之道也。

【赏析】

这首诗作于开元二十六年春，诗人在凉州崔希逸幕府任节度判官时，在灵云池的画船上为从弟饯行。诗中描写在歌舞之中饮酒作别的情形，抒发离别之愁绪。前两句对仗，写宴别时的歌舞，“清歌”“艳舞”写出临别时宴会繁华的盛况，更衬托出诗人内心的依依不舍之情。后二句也是对仗，“鹡鸰”比喻兄弟相友，“鸿雁”结队飞行，先后有序，也比喻兄弟。写他们像鹡鸰一般临水而别，不像鸿雁那样结伴飞来池中，形象生动，耐人寻味。整首诗表达了对从弟的依依惜别之情。

送沈子福归江东①

杨柳渡头行客稀，罟师荡桨向临圻②。

唯有相思似春色，江南江北送君归。

【注释】

①沈子福：未详。江东：吴越一带。

②罟师：渔夫，此指船夫。罟（gǔ），渔网。圻（qí）：通“碕”，曲岸。

【赏析】

这首诗当是诗人在长江上游送沈子福顺流而下归江东而作。首句“杨柳”点明送别的季节，关合下文的“春色”，“行客稀”渲染了一种寂寥凄凉的送行气氛。第二句“临圻”交代出了友人的目的地，目送友人的船慢慢荡开，随着那船夫的桨的划动，越来越远。这一句情思悠远，相送之景如在眼前。后二句写友人走后，诗人临流极目，唯见一片春色遍于江南江北，遂觉心中的思念像眼前的春色一般无穷无尽，这思念的情意始终相随着友人，恰似这无边无际的春色一般。诗人即景寓情，联想奇妙，写出了对友人的深情厚谊，将抽象的情感极其生动地表达出来。

寒食汜上作[①]

广武城边逢暮春，汶阳归客泪沾巾[②]。
落花寂寂啼山鸟，杨柳青青渡水人。

【注释】

①寒食：旧以清明前一日或二日为寒食节。汜（sì）上：汜水之上。汜水源出河南巩县（今巩义市），北流注入黄河。唐有汜水县。

②广武城：有东、西二城，故址在今河南荥阳东北广武山上。楚汉相争时，项羽、刘邦曾分别屯兵东西城，隔涧对峙。汶阳：指汶水之北。汶水今名大汶河，在今山东境内。济州在汶水之北，作者自济州西归长安或洛阳，故自称“汶阳归客”。

【赏析】

这首诗作于开元十四年，诗人于这年春天离开济州西归长安。前二句写诗人寒食节经过广武的汜水之上，晚春时节，诗人感物自伤，想起自己被贬异地五年多，今日终于踏上归途，不禁泪水沾巾。后二句写暮春的景色，落花无声地悄然坠下，只有山鸟在空中啼叫；在一片杨柳青青的河边，有人正在涉水渡河。诗人出色地描绘出山间清幽的景色，情景交融，衬托出自己内心的惆怅与失落，表现出对贬谪生涯的惋惜与怅惘，流露出对此后生活的美好向往之情。

菩提寺禁裴迪来相看说逆贼等凝碧池上作音乐供奉人等举声便一时泪下私成口号诵示裴迪①

万户伤心生野烟，百官何日再朝天②。
秋槐叶落空宫里，凝碧池头奏管弦。

【注释】

①诗题断句："菩提寺禁，裴迪来相看，说逆贼等凝碧池上作音乐，供奉人等举声便一时泪下，私成口号诵示裴迪"。菩提寺禁：拘禁在菩提寺。天宝十五年（756）六月，安禄山攻陷长安，玄宗奔蜀，王维扈从不及，为贼所获，拘于菩提寺。菩提寺，在洛阳。逆贼：指安禄山。凝碧池：在洛阳宫苑中，或云在长安西苑内。《通鉴》至德元年八月："禄山宴其群臣于凝碧池，盛奏众乐；梨园弟子往往欷歔泣下，贼皆露刃睨之。乐工雷海青不胜悲愤，掷乐器于地，西向恸哭。禄山怒，缚于试马殿前，支解之。"供奉：官名，左右供职者。此指乐工。举声：发声。

②生野烟：战乱爆发，狼烟四起。朝天：朝见天子。

【赏析】

前两句写百姓受难，民生凋敝，苦不堪言，不知道这些流落的旧臣们何时才能再见到大唐皇帝。“伤心”二字，描绘出叛兵的不得人心，写出他们的罪孽深重。后二句写宫中槐树如今叶子凋零，宫殿也是空的，那些叛兵们反倒在凝碧池旁奏乐庆祝。“秋槐”与“空宫”烘托出凄凉的气氛，展现了诗人内心的悲痛，而叛兵们的作乐则展现了诗人的愤怒之情。此时诗人的情绪是悲愤交加的。这首诗是动乱时代的实录，苦难心灵的低吟。诗人天性软弱且又陷身贼中，因此诗作没有采取激烈的语词来大胆指斥叛贼，而是以低沉呜咽的语调，倾诉了悲哀而又无可奈何的心绪。

送殷四葬①

送君返葬石楼山，松柏苍苍宾驭还②。

埋骨白云长已矣③，空余流水向人间。

【注释】

①殷四：即诗人殷遥。

②石楼山：赵殿成注：“《元和郡县志》：京兆府渭南县（今属陕西）西南有石楼山。《唐书·地理志》：汝州梁县（今河南临汝）有石楼山……未知孰

是。”或云此指汝州梁县之石楼山。宾驭：同“宾御”，谓宾客与驭手。

③埋骨白云：指埋骨于高山之上。

【赏析】

此诗是为好友殷遥送葬而作。前人评价此诗“真至”。首句点出送葬的地点石楼山。第二句“松柏”，仲长统《昌言》载：“古之葬，植松柏梧桐以识其坟。”“苍苍”是深青色，又用来形容松柏的茂盛，渲染出葬地的幽深凄静，表现出诗人的静穆与怀念之情。第三句“长已矣”展现出诗人深深的痛惋之情。最后一句，“空”字道出了斯人已逝而青山流水长依旧的景象，表现了诗人对友人的痛惋与怀念，以及对死亡的终极追问和无可奈何的沉痛的心情。